YOGA
YOGA

GENIESSEN • WOHLFÜHLEN • SCHÖN SEIN

LORNA LEE MALCOLM

midena

Für Winston, Darren, Michael Patrick und Nick – die Männer in meinem Leben, die ich liebe. Für Louise, Sonji und Denise – die Frauen, die ich liebe. Für Conrad, Alexander, Zakari und Theodore – meine vier fantastischen Neffen, die mich mit Liebe, Inspiration und Lachen erfüllen. Für meine Familie.

Hinweis:
Die im Buch veröffentlichten Ratschläge und Rezepte wurden mit größter Sorgfalt von Verfasserin und Verlag erarbeitet und geprüft. Eine Garantie kann jedoch nicht übernommen werden. Ebenso ist eine Haftung der Verfasserin bzw. des Verlages und seiner Beauftragten für Personen-, Sach- oder Vermögensschäden ausgeschlossen.

Die Deutsche Bibliothek – CIP-Einheitsaufnahme

Ein Titeldatensatz für diese Publikation ist bei der Deutschen Bibliothek erhältlich.

Titel der englischen Originalausgabe: Health Style, erschienen 2002 bei Duncan Baird Publishers, London

Copyright © Duncan Baird Publishers Ltd 2001
Text © Duncan Baird Publishers Ltd 2001
Fotorechte für diese Ausgabe Copyright © Duncan Baird Publishers Ltd 2002
Die Rechte der verwendeten Fotos finden Sie im Bildnachweis auf Seite 208

Midena Verlag, München
© Deutsche Ausgabe 2002 Weltbild Ratgeber Verlage GmbH & Co. KG

Alle Rechte vorbehalten

Projektleitung: Caroline Colsman
Übersetzung, Redaktion und Satz: Print Company Verlagsgesellschaft m. b. H., Wien
Herstellung: Gabriele Schnitzlein
Übersetzung: Andrea Farthofer
Umschlagkonzeption: H3A GmbH, München
Reproduktion: Colourscan, Singapur
Druck und Bindung: Imago, Singapur
Printed in Singapur

ISBN: 3-310-00768-5

Bildnachweis:
Umschlagfoto: Jörg Badura

„Harmonie beim Essen und Ruhen, bei Tag und bei Nacht -
Perfektion in all deinem Tun. Das ist der Weg zur Ruhe."
Bhagavad Gita

INHALT

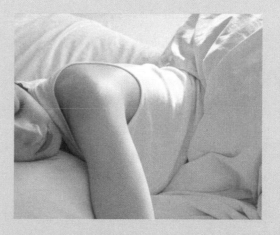

ÜBER DIESES BUCH

Das Buch *Yoga Yoga* hat ein einfaches Ziel – es möchte Ihnen helfen, Ihr Leben zu genießen. Doch die Ratschläge in diesem Buch können noch viel mehr bewirken, denn Sie erfahren, wie Sie Ihr körperliches und seelisches Wohlbefinden verbessern und Ordnung und Kontrolle in Ihr Leben bringen können, und somit kann dieses Buch Ihr Leben von Grund auf verändern.

Der Schwerpunkt liegt auf praktischen Tipps, und Sie werden eine Reihe einfacher, aber sehr wirksamer Techniken erlernen. Die meisten Hinweise basieren auf traditionellen fernöstlichen Disziplinen und Therapien wie etwa Yoga, Tai Chi, Meditation oder Akupressur. Diese jahrhundertealten Methoden können auch Ihnen helfen, zur Ruhe zu kommen, sich zu entspannen und Geist, Körper und Seele in Einklang zu bringen.

Yoga Yoga ist in sechs Kapitel gegliedert, wobei sich jedes davon mit einem typischen Tagesabschnitt befasst. Im ersten Kapitel „Erwachen" finden Sie Tipps, wie man den Tag ruhig und optimistisch beginnen und sich entsprechend auf den bevorstehenden Tag einstimmen kann. Das zweite Kapitel „Arbeiten" enthält Hinweise für eine effizientere Arbeitsweise und Lösungsansätze für häufige Probleme wie Konzentrationsschwächen, Stress und Verspannungen. Das dritte Kapitel „Entspannen" befasst sich mit spiritueller Entspannung. Im vierten Kapitel „Essen und Trinken" erfahren Sie, welche Rolle die richtige Ernährung für Gesundheit und Wohlbefinden spielt. Im fünften Kapitel „Lieben" geht es um Beziehungen und Möglichkeiten, diese durch Berührungen, Massage und ein Gefühl der Nähe und Leidenschaft zu verbessern. Das letzte Kapitel „Schlafen" erklärt, wie man am Abend zur Ruhe kommen und Körper und Geist auf einen erholsamen Schlaf vorbereiten kann.

Das Buch beinhaltet auch einige aufwändig gestaltete Doppelseiten, die mit transparentem Papier beschichtet sind und damit eine ganz besondere Stimmung verbreiten. Auf diesen Seiten finden Sie, Schritt für Schritt erklärt, Anleitungen für Übungen, die Ruhe, Entspannung und selbst Intimität fördern sollen.

Alle beschriebenen Übungen sind einfach und gefahrlos durchzuführen und sollten ohne Anstrengung möglich sein. Bei Schwindel oder anderen Beschwerden machen Sie eine Pause, bis Sie sich wieder besser fühlen. Bei chronischen Gesundheitsproblemen wie etwa Herz-, Lungen- oder Gelenksbeschwerden sollten Sie vor Übungsbeginn Ihren Arzt kontaktieren.

VORWORT

Hallo! Ich habe drei große Wünsche. Erstens soll Sie dieses Buch dazu bewegen, über Ihr Leben nachzudenken, denn angesichts unseres hektischen Lebensstils nehmen wir uns dafür nur selten die Zeit. Wir versäumen so viel im Leben, weil wir den Moment nicht bewusst genießen, und nur allzu leicht zerrinnt uns die Zeit zwischen den Fingern. Wir versuchen, unzählige Aspekte des Lebens parallel zu managen, bis uns vor lauter Stress keine Zeit mehr bleibt, um unsere Lebensqualität zu hinterfragen.

Wenn wir immer nur reagieren, sprechen wir uns damit das Recht ab, als aktiver Teilnehmer an unserem eigenen Leben teilzuhaben. Wir verlieren den Kontakt zu unserem inneren Selbst und sind mehr mit dem Über-Leben anstatt mit dem Leben beschäftigt. Wir wollen ein Ziel erreichen, anstatt den Weg dorthin zu genießen. Ich hoffe, dieses Buch hilft Ihnen, Ihren Lebensstil zu ändern und eine für Sie passende, gesündere Lebensweise anzunehmen.

Reflektieren Sie beim Lesen dieses Buchs über all die Aspekte Ihres Lebens. Fragen Sie sich, wie gut Sie sich selbst kennen und ob Sie dem Menschen, der Sie sind, zurzeit auch wirklich gerecht werden. Sind Sie sich dessen bewusst, was Sie stresst und was Ihnen im Gegenzug hilft, sich zu entspannen? Gelingt es Ihnen, ein Gleichgewicht zwischen Arbeit, Heim/Familie und Ihrem gesellschaftlichen Leben zu finden? Dieses Gleichgewicht muss jedoch nicht bedeuten, für alles gleich viel Zeit aufzuwenden, sondern heißt vielmehr, keinen Ihrer Lebensbereiche außer Acht zu lassen.

Zweitens wünsche ich mir, dass Sie auch aktiv werden und gegebenenfalls Änderungen an Ihrem Lebensstil vornehmen. Ich war neun Jahre lang als Juristin tätig. Gegen Ende empfand ich diese Tätigkeit nicht mehr als zufrieden stellend – ich arbeitete mit Menschen, mit denen ich nichts gemeinsam hatte, in einem Büro ohne Tageslicht und oft fiel mein Stimmungsbarometer bereits beim Betreten des Gebäudes auf null. Gelegentlich kam es vor, dass ich mich auf den Weg zur Arbeit machte, jedoch vor dem Büro umkehrte und den nächsten Bus nach Hause nahm und mich krank meldete. Ich wusste, dass es so nicht weitergehen konnte, und ich hielt inne, um eine Bestandsaufnahme meines Lebens zu machen. Dabei kam ich zur Erkenntnis, dass ich ungeachtet des Geldes, das ich in meinem Beruf verdiente, mehr von meinem Leben erwartete – ein anderes Arbeitsumfeld, das sich durch einen bloßen Jobwechsel nicht einstellen würde. Mir war klar, dass ich etwas tun musste, das mir Spaß machte, und ich beschloss, mein Hobby zu meinem Beruf zu machen. Gesundheit und Fitness sind nun meine Arbeit. Ich halte Vorträge und bilde andere Instruktoren in aller Welt aus, arbeite als Beraterin für Reebok und schreibe und unterrichte noch immer regelmäßig. Diese Veränderung war keine leichte Entscheidung und ich habe sie wohlüberlegt getroffen. Nach bestmöglicher Planung wagte ich schließlich den Sprung ins kalte Wasser und ich habe ihn noch keine Sekunde bereut. Nun werde ich tatsächlich für etwas bezahlt, das mir Spaß macht! Das zeigt, wie wichtig es ist, jene Bereiche herauszufiltern, mit denen man unzufrieden oder unglücklich ist und eine Änderung herbeizuführen – schließlich ist man sich selbst ein glückliches und erfülltes Leben schuldig.

Das bringt mich zu meinem dritten Wunsch. Oft hören wir Aussagen wie: „Man hat nur eine Chance im Leben!" Selbst wenn man an Reinkarnation glaubt, sollte man jede Minute seines Lebens auskosten. Dazu trägt auch ein guter körperlicher und mentaler Gesundheitszustand bei. Untersuchungen haben gezeigt, dass regelmäßiger Sport (nicht unbedingt Extremsport) und verstärkte körperliche Betätigung gewisse Krankheitsrisiken verringern, sei es Bluthochdruck, Herz-Kreislauf-Erkrankungen, Osteoporose, bestimmte Formen von Diabetes, etc. Dies beugt zudem Ängsten und depressiven Verstimmungen vor, verbessert gleichzeitig unseren mentalen Zustand und stärkt unser Selbstvertrauen und unsere Selbstachtung.

Wenn wir unser Leben genießen, können wir ausdrucksstarke und ausgeglichene Menschen werden, die sich der Bedeutung der Liebe in ihrem Leben bewusst sind. Glück basiert auf einer positiven Einstellung, dank der wir Probleme als Herausforderungen und nicht als Hindernisse sehen. Die innere Ruhe beruht auf dem Wissen, wer wir sind, worauf wir hinarbeiten und was wir erreichen möchten und der Kunst, den Weg dorthin zu genießen. Damit sollte es möglich sein, keine Zeit und Energie mehr für Ärger zu verschwenden. Benützen Sie dieses Buch als Nachschlagewerk und lesen Sie bestimmte Kapitel nach, wenn Ihre jeweilige Lebenssituation dies erfordert. Laden Sie Ihre Batterien mithilfe dieses Buchs neu auf und erinnern Sie sich von Zeit zu Zeit daran, was Sie sich für Ihr Leben und Ihren Lebensstil vorgenommen haben. In diesem Sinne viel Spaß beim Lesen und Leben!

Lorna

ERWACHEN

Das Gefühl, mit dem Sie in den neuen Tag gehen, ist für den weiteren Tagesverlauf von größter Bedeutung. Wenn Sie den Tag schwungvoll und positiv beginnen, werden Sie diese Gefühle den ganzen Tag begleiten und Ihnen helfen, den Höhen und Tiefen des Lebens mit Energie, Gelassenheit und Humor zu begegnen.

Dieses Kapitel zeigt Übungen und Techniken zur optimalen Einstimmung auf den neuen Tag. Positive Affirmationen schaffen eine ideale Grundstimmung, Dehnungsübungen sind gut für Ihren Körper, und Tai Chi, Qi Gong, die richtige Atmung und Meditation verhelfen Ihnen zu Energie bzw. innerer Ruhe.

EIN POSITIVER START

Wenn Sie Ihre Augen am Morgen öffnen, sollten Sie den neuen Tag erfrischt, unbeschwert und mit einer positiven Einstellung begrüßen. Denken Sie jedoch sofort an die bevorstehende Hektik, beginnt Ihr Tag bereits mit negativen Gedanken. Positive Affirmationen können Ihnen helfen, sich dieser negativen Grundstimmung zu entziehen, indem Sie diese durch positive Gedanken „überlagern". Während Techniken wie Meditation für inneren Frieden sorgen, indem die gesamte geistige Aktivität stillgelegt wird, sorgen Affirmationen für mehr Ruhe, indem sie den Geist in eine optimistischere Grundstimmung bringen.

Negative Gedanken können Ihre physische und emotionelle Gesundheit beeinträchtigen. Ständige Ängste, Sorgen, pessimistische Gedanken und Selbstkritik unterlaufen Ihr Selbstwertgefühl, und in der Folge sind Sie unglücklich und desillusioniert. Mit der Zeit werden Sie anfällig für gesundheitliche Probleme wie etwa Depressionen, chronische Müdigkeit, Kopfschmerzen, Verdauungsstörungen und Virusinfektionen.

Den Erfolg der Affirmationstechnik verdanken wir unserem Unterbewusstsein, das pflichtbewusst alle emotionalen Regungen aufzeichnet – positive ebenso wie negative. Wenn Sie sich wiederholt sagen, dass Sie zuversichtlich und glücklich sind, werden diese Botschaften in Ihrem Unterbewusstsein gespeichert und spiegeln sich in Ihrer Tagesverfassung und in Ihren Handlungen wider. Erhält Ihr Unterbewusstsein jedoch nur negative Signale wie etwa „Das schaffe ich nicht!", werden solche quälenden Gedanken rasch zu „selbsterfüllenden Prophezeiungen".

Wenden Sie die Affirmationstechnik morgens nach dem Erwachen an. Noch liegt der ganze Tag vor Ihnen und selbst ein viel beschäftigter Geist ist nun offen für Anregungen. Sie müssen sich nicht in ein ruhiges Zimmer zurückziehen und Ihre Augen schließen (obwohl Sie das tun können, wenn es Ihnen hilft). Ebenso gut können Sie währenddessen im Bett liegen oder sich ankleiden oder duschen. Bei manchen Menschen wirken Affirmationen besonders gut, wenn sie dabei in den Spiegel blicken. Sie können diese Aussagen laut aussprechen oder nur in Gedanken formulieren.

Variieren Sie die Affirmationen abhängig von den an diesem Tag bevorstehenden Herausforderungen. Wenn Sie nervös sind, könnten Sie sich sagen: „Ich bin zuversichtlich, heute kann mich nichts erschüttern!" Wichtig dabei ist es, dass Sie Ihre Aussagen

Heute bin ich glücklich und zufrieden und ich bin bereit, optimistisch und offen in diesen Tag zu gehen.

Die Welt ist wunderschön, und überall gibt es liebenswerte und freundliche Menschen.

Ich verzeihe mir alle Fehler, die ich gestern begangen habe.

Mein Atem ist mein ständiger Begleiter. Wenn ich Angst habe, atme ich tief durch und fühle mich dadurch besser.

Heute akzeptiere ich mich und die anderen und sehe das Gute und Wertvolle in uns.

Ich akzeptiere meine Gefühle heute bedingunglos. Ich lasse sie zu und bin offen für alle neuen Erfahrungen.

Jeder Tag ist voller Wunder.

positiv formulieren. Statt „Ich fühle mich nicht müde", sagen Sie besser: „Ich bin ausgeruht und gehe dynamisch in den Tag". Die Affirmationen sollten im Präsens formuliert sein, da sie dann eine feste Überzeugung zum Ausdruck bringen, anstatt nur diffuse Möglichkeiten in der Zukunft darzustellen.

Ihr Unterbewusstsein reagiert am besten auf ein oder zwei kurze Sätze, die Sie oft und mit Nachdruck wiederholen. Bilder prägen sich besser ein als Worte, sodass auch Visualisierungstechniken hilfreich sein könnten. Wenn Sie sich sagen: „Ich bleibe auch unter Stress ruhig", stellen Sie sich vor, dass Sie als Kapitän eines Boots die Hände am Steuerrad haben und einen geradlinigen Kurs fahren, auch wenn die Wellen rundherum immer stärker wogen.

Links finden Sie einige Anregungen für solche Affirmationen, die Ihnen helfen können, sich richtig auf den Tag einzustimmen. Sie können die Inhalte dieser Affirmationen auch an Ihre speziellen Bedürfnisse anpassen oder ganz eigene Aussagen formulieren. Legen Sie Nachdruck und Gefühl in Ihre Worte, denn das Unterbewusstsein nimmt diese Botschaften unkritisch auf, und bei oftmaliger Wiederholung gehen sie in Erfüllung.

MORGENSTRETCHING

Nach der inaktiven Schlafphase tut Ihrem Körper ausgiebiges Stretching sehr gut. Die folgenden Dehnungsübungen sollen die Steifheit aus Ihren Gliedern vertreiben und den Energiepegel nach der Nachtruhe wieder heben. Es handelt sich dabei um eine Variante der klassischen Yoga-Übung „Gruß an die Sonne". Die Übung ist hervorragend geeignet, um den Körper zu aktivieren und gleich am Morgen Energien zu tanken. Dabei werden die Wirbelsäule und die Muskeln gedehnt, und das Gehirn wird wieder frisch mit Blut versorgt.

Bei den Hindus gilt die Morgendämmerung als jene Zeit, wo die Luft voller Lebenskraft (*Prana*) ist. Atmung und Bewegung sind im Einklang und fördern den Energiefluss. Atmen Sie während der gesamten Übungsfolge tief durch die Nase – beim Hinaufstrecken ein und beim Herabbeugen aus. Die Bewegungen sollten gleichmäßig erfolgen und fließend ineinander übergehen. Dehnen Sie den ganzen Körper ähnlich wie Katzen oder Hunde nach einem Schläfchen, die die Vorderbeine nach vorne strecken und dabei die Wirbelsäule, wie in Schritt 4 dargestellt, lang machen. Wiederholen Sie die Übungsfolge mindestens sechs Mal und wechseln Sie dabei in Schritt 5 das führende Bein.

MORGENÜBUNG

1 Stellen Sie sich mit leicht geöffneten Beinen hin und legen Sie Ihre Hände wie zum Gebet zusammen.

2 Atmen Sie beim Strecken der Arme und Finger über dem Kopf ein und neigen Sie sich leicht nach hinten. Der Kopf sollte dabei eine Linie mit den Armen bilden.

3 Atmen Sie aus und beugen Sie sich mit geradem Rücken nach unten, bis die Hände den Boden berühren.

4 Atmen Sie aus und bringen Sie die Füße nach hinten. Drücken Sie die Hüften nach hinten und oben und die Fersen in den Boden. Spannen Sie die Oberschenkelmuskel an. Rücken und Kopf sollten eine gerade Linie bilden.

5 Atmen Sie ein und ziehen Sie das rechte Bein zwischen die Arme, sodass das linke Knie den Boden berührt. Blicken Sie geradeaus.

6 (a) Atmen Sie aus, strecken Sie die Hüften und holen Sie das linke Bein heran. Beugen Sie gegebenenfalls die Knie, damit die Hände am Boden bleiben. (b) Atmen Sie ein und kehren Sie wieder in die aufrechte Position zurück. Ihr Rücken sollte dabei gerade sein. Führen Sie die Arme über den Kopf, atmen Sie aus und falten Sie die Hände wieder in Gebetsposition.

MORGENÜBUNG

1 Stellen Sie sich mit leicht geöffneten Beinen hin und legen Sie Ihre Hände wie zum Gebet zusammen.

2 Atmen Sie beim Strecken der Arme und Finger über dem Kopf ein und neigen Sie sich leicht nach hinten. Der Kopf sollte dabei eine Linie mit den Armen bilden.

3 Atmen Sie aus und beugen Sie sich mit geradem Rücken nach unten, bis die Hände den Boden berühren.

4 Atmen Sie aus und bringen Sie die Füße nach hinten. Drücken Sie die Hüften nach hinten und oben und die Fersen in den Boden. Spannen Sie die Oberschenkelmuskel an. Rücken und Kopf sollten eine gerade Linie bilden.

5 Atmen Sie ein und ziehen Sie das rechte Bein zwischen die Arme, sodass das linke Knie den Boden berührt. Blicken Sie geradeaus.

6 (a) Atmen Sie aus, strecken Sie die Hüften und holen Sie das linke Bein heran. Beugen Sie gegebenenfalls die Knie, damit die Hände am Boden bleiben. (b) Atmen Sie ein und kehren Sie wieder in die aufrechte Position zurück. Ihr Rücken sollte dabei gerade sein. Führen Sie die Arme über den Kopf, atmen Sie aus und falten Sie die Hände wieder in Gebetsposition.

„Harmonie beim Essen und Ruhen, beim Schlafen und Wachen – Perfektion in all unserem Tun. Das ist Yoga, das uns von allen Schmerzen befreit." Bhagavadgita

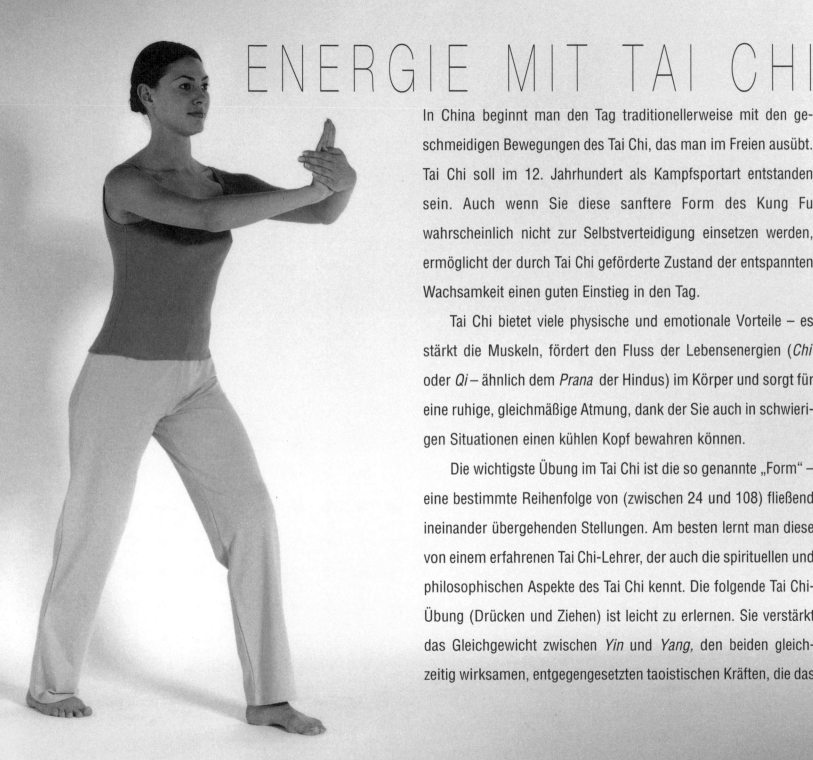

ENERGIE MIT TAI CHI

In China beginnt man den Tag traditionellerweise mit den geschmeidigen Bewegungen des Tai Chi, das man im Freien ausübt. Tai Chi soll im 12. Jahrhundert als Kampfsportart entstanden sein. Auch wenn Sie diese sanftere Form des Kung Fu wahrscheinlich nicht zur Selbstverteidigung einsetzen werden, ermöglicht der durch Tai Chi geförderte Zustand der entspannten Wachsamkeit einen guten Einstieg in den Tag.

Tai Chi bietet viele physische und emotionale Vorteile – es stärkt die Muskeln, fördert den Fluss der Lebensenergien (*Chi* oder *Qi* – ähnlich dem *Prana* der Hindus) im Körper und sorgt für eine ruhige, gleichmäßige Atmung, dank der Sie auch in schwierigen Situationen einen kühlen Kopf bewahren können.

Die wichtigste Übung im Tai Chi ist die so genannte „Form" – eine bestimmte Reihenfolge von (zwischen 24 und 108) fließend ineinander übergehenden Stellungen. Am besten lernt man diese von einem erfahrenen Tai Chi-Lehrer, der auch die spirituellen und philosophischen Aspekte des Tai Chi kennt. Die folgende Tai Chi-Übung (Drücken und Ziehen) ist leicht zu erlernen. Sie verstärkt das Gleichgewicht zwischen *Yin* und *Yang,* den beiden gleichzeitig wirksamen, entgegengesetzten taoistischen Kräften, die das

Universum regieren. Üben Sie das Drücken und Ziehen morgens vor dem Frühstück. Diese Übung fördert Entspannung und Konzentration sowie Kraft, Gleichgewichtssinn, Geschmeidigkeit und Haltung. Tragen Sie bequeme Kleidung und führen Sie die Bewegungen und Atemzüge langsam und gleichmäßig durch.

DRÜCKEN UND ZIEHEN

Stellen Sie die Füße schulterbreit auseinander, lassen Sie die Arme seitlich herabhängen und atmen Sie ein. Winkeln Sie den linken Arm ab. Die Handfläche sollte dabei zur Brust zeigen. Legen Sie die rechte Handfläche auf die linke, wobei Ihr rechter Ellbogen nach unten zeigt. Setzen Sie den linken Fuß nach vorn. Drücken Sie beim Ausatmen Ihre linke Handfläche vor Ihren linken Fuß (gegenüberliegende Abbildung). Dann drücken Sie mit der rechten Hand Ihre linke zur Brust. Atmen Sie ein und verlagern Sie das Gewicht wieder auf den rechten Fuß (Abb. rechts). Am Schluss stellen Sie sich mit parallelen, schulterbreit geöffneten Füßen hin und öffnen die abgewinkelten Arme seitlich, wobei die Handflächen nach vorne zeigen. Atmen Sie aus. Wiederholen Sie diese Übung fünf Mal auf beiden Seiten.

ENERGIE MIT QI GONG

Die beiden Qi Gong-Übungen auf den folgenden Seiten helfen Ihnen, auf Ihren natürlichen Energiefluss zu hören und diesen am Morgen in Schwung zu bringen. Qi Gong („Dschi Gong" ausgesprochen) zählt neben Tai Chi, der Behandlung mit Heilkräutern und Akupunktur zu den Säulen traditioneller chinesischer Medizin. *Qi* bezeichnet die durch den Körper fließende Lebenskraft, die für Leben und Vitalität sorgt. *Gong* heißt „Arbeit", sodass Qi Gong folglich „Energie für die Arbeit" bedeutet. Qi Gong ist ein innerer Vorgang, der auf mentaler Stärke und Konzentration beruht. Wenn Sie Ihre innere Kraft spüren, können Sie diese stärken und Ihr physisches, emotionales und spirituelles Wohlbefinden steigern. *Qi* ist ein schwer verständliches und dem orthodoxen westlichen Glauben fremdes Konzept, sodass es anfangs schwierig sein kann, diesen inneren Energiefluss zu spüren. Geben Sie sich einfach Zeit!

In der chinesischen Philosophie sitzt das Energiezentrum im Bauch – in der als *Dan Tien* bezeichneten Region – drei Finger-

breit über dem Nabel und tief im Körper. Das *Dan Tien* gibt es in vielen östlichen Kulturen und wird oft als „Zentrum der Lebensenergie", „goldener Ofen, der Krankheiten verbrennt" oder „Feuerofen" übersetzt. Diese Vergleiche mit dem Ofen und Feuer stehen für jene Stellen im Körper, wo das *Qi* entfacht wird, und für Übungen, die das Dan Tien aufheizen sollen. Bei den Qi Gong-Übungen ist es wichtig, in das Dan Tien hineinzuatmen, indem Sie den Atem tief in Ihren Bauch aufnehmen. Die erste Übung nennt

sich „Spüren eines Energieballs". Dabei sollen Sie die vom Dan Tien ausgehende Energie fühlen. Stellen Sie sich diesen Energieball vor und konzentrieren Sie sich auf das Gefühl zwischen Ihren Handflächen und im Bauch. Mit etwas Übung sollten Sie bald ein warmes oder prickelndes Gefühl in den Handflächen und Fingern verspüren oder meinen, tatsächlich einen Ball zu halten.

Die zweite Übung nennt sich „Drehen eines Energieballs". Basierend auf den intuitiven Fähigkeiten, die Sie in der ersten Übung erlangt haben, stärken Sie durch das mentale und physische Drehen des Balls das Qi in Ihrem Dan Tien. So können Sie Ihre Energien gleich am Morgen oder auch später, wenn Sie sich tagsüber ausgelaugt fühlen sollten, wieder aktivieren.

SPÜREN EINES ENERGIEBALLS

Ausgehend von der *Wu Chi*-Position (siehe Seite 72) winkeln Sie die Arme ab und bringen die Handflächen vor dem Bauch im Abstand von ca. 30 cm zusammen. Visualisieren Sie einen kleinen Energieball zwischen Ihren Händen. Bleiben Sie zwei Minuten in dieser Stellung. Nun stellen Sie sich vor, dass der Ball oder die Energie immer größer wird und Ihre Hände auseinander drückt

(Abb. unten rechts). Lassen Sie den Ball etwa auf Schulterbreite wachsen und halten Sie diese Position eine Minute lang. Nun wird der Energieball immer kleiner, bis sich Ihre Hände wieder vor dem Bauch befinden.

Sobald der Energieball seine ursprüngliche Größe erreicht hat, umschließen Sie den Ball mit den Händen und visualisieren, wie er sich zu einem winzigen, hellen Licht verdichtet. Drücken Sie dabei eine Handfläche gegen Ihren Bauch und legen Sie die zweite Handfläche darüber. Stellen Sie sich vor, dass das Licht tief in Ihrem Bauch verschwindet. Senken Sie die Hände nun ab.

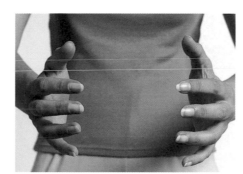

DREHEN EINES ENERGIEBALLS

Ausgehend von der *Wu Chi*-Position winkeln Sie Ihre Ellbogen leicht ab und führen die Hände zum Bauch, wobei sich die Fingerspitzen fast berühren und die Handflächen nach oben zeigen. Spüren Sie die Kraft, die von dem Energieball in Ihrem Bauch ausgeht. Halten Sie diese Position zwei Minuten und stellen Sie sich vor, dass die Energie Ihre Handflächen füllt und die Handflächen den Energieball unterstützen. Führen Sie Ihre Hände langsam um den Ball, bis die Handflächen nach innen zum Ball zeigen. Drehen Sie den Ball, bis die Hände oben auf dem Energieball auf Rippenhöhe zu liegen kommen.

Vom Daumen ausgehend, führen Sie die Hände nun hinter den Ball, als ob Sie in Ihrem Bauch Platz schaffen würden. Führen Sie die Hände wieder zurück unter den Ball und bringen Sie diese in die Ausgangsposition. Wiederholen Sie diese Übung 20-mal. Beim 20. Mal stellen Sie sich vor, dass der Energieball zu einem kleinen Lichtpunkt in Ihrem Bauch wird. Drücken Sie die übereinander gelegten Handflächen auf Ihren Bauch.

Nach diesen Qi Gong-Übungen werden Ihre Hände voll frischer Qi-Energie sein. Nützen Sie diese, um sich zu aktivieren – reiben Sie die Hände und legen Sie diese auf die Augen und stellen sich vor, dass Licht in Ihre Augen dringt. Streichen Sie mit den Händen über das Gesicht und streifen Sie mit den Handflächen von oben nach unten durch Ihre Haare. Jetzt sollten Sie voll Energie und bereit für den neuen Tag sein.

ENERGIE DURCH ATMUNG

Zumeist atmen wir sehr flach, wobei die Luft nur die oberen Bereiche der Lunge erreicht. Wenn Sie jedoch Ihre Atmung dahingehend ändern, dass Sie tief einatmen und das gesamte Lungenvolumen nützen, kann diese erhöhte Sauerstoffzufuhr Ihre Blutzirkulation verbessern und für neue Energien sorgen. Übungen zur Änderung der Atemgewohnheiten sind somit eine hervorragende Möglichkeit, um sich auf einen neuen Tag einzustimmen.

Wenn Sie nicht gleich am Morgen körperliche Übungen machen wollen, sind vielleicht Atemübungen das Richtige für Sie. Nehmen Sie sich jeden Morgen ein bisschen Zeit für Ihre Atmung, und bald werden Sie sich dynamischer, aufmerksamer und klarer fühlen. Sobald Sie es sich angewöhnt haben, den ganzen Tag tief zu atmen, wird sich Ihr gesamtes Wohlbefinden und Ihr Energiehaushalt verbessern. Die tiefere – und effizientere – Atmung beruhigt das Nervensystem, massiert den Bauch und fördert die Verdauung und den Abtransport von Giftstoffen.

Die folgenden Übungen für die „vollständige Yoga-Atmung" und die „Reinigungsatmung" (siehe Seite 28) fördern die Aktivität des Zwerchfells, des großen Muskels direkt unter der Lunge zwischen Brustkorb und Bauch. Die Reinigungsatmung wird auch als *Kapalabhati* bezeichnet, was mit „Schädelleuchten" übersetzt werden könnte. Dies ist eine bildliche Ausdrucksweise für „mentale Leichtigkeit". Bei dieser Technik wird der Körper mit einer Extraportion Sauerstoff versorgt. Zudem werden Kohlendioxid und Giftstoffe abgegeben, Herztätigkeit und Durchblutung gefördert und die inneren Organe massiert. Häufig wird diese Technik von Yoga-Praktikanten als *Kriya* oder Reinigungsübung eingesetzt, da dabei die Atemwege und Energiekanäle des Körpers gereinigt werden.

VOLLSTÄNDIGE YOGA-ATMUNG

Obwohl der Lungenraum ein einziger Bereich ist, sollten Sie sich für diese Übung vorstellen, dass die Lunge aus drei getrennten Bereichen besteht, dem unteren, mittleren und oberen Bereich. Bei der vollständigen Yoga-Atmung wird abwechselnd jeder dieser Bereiche befüllt und geleert. Beim Einatmen sollte die Lunge vollständig mit Luft gefüllt und beim Ausatmen gänzlich geleert sein, was physiologisch gesehen natürlich nicht möglich ist. Die Atmung sollte gleichmäßig erfolgen – versuchen Sie also nicht verkrampft, Luft in die Lunge hineinzupressen oder diese hinauszupressen. Stellen Sie sich vor, beim Einatmen Energie, Vitalität und Licht aufzunehmen und beim Ausatmen Müdigkeit und Schadstoffe abzutransportieren. Sie können die vollständige Yoga-Atmung am Rücken liegend ausführen; vielleicht fällt sie Ihnen aber im Schneidersitz am Boden sitzend leichter.

Legen Sie in dieser Sitzposition die Handflächen auf den Bauch direkt unter dem Nabel. Atmen Sie ein paar Mal normal und dann tief durch die Nase ein und bringen Sie damit Luft in den unteren Lungenbereich. Spüren Sie, wie sich Ihr Bauch unter Ihren Händen ausdehnt. Führen Sie die Hände hinauf bis direkt unter die Rippen. Atmen Sie dabei weiter, sodass Luft in den mittleren Lungenbereich gelangt. Sie sollten eine leichte Bewegung unter Ihren Händen spüren, wenn sich das Zwerchfell

ein bisschen weiter nach unten bewegt. Überkreuzen Sie die Arme und legen Sie die Fingerspitzen direkt unter die Schlüsselbeine. Atmen Sie weiter und füllen Sie den oberen Lungenbereich mit Luft. Spüren Sie, wie sich die Schlüsselbeine leicht heben.

Nach dieser vollständigen Atmung pausieren Sie kurz und atmen dann langsam und gleichmäßig aus dem oberen, mittleren und unteren Lungenbereich aus, bis Sie das Gefühl haben, die gesamte Luft ausgeatmet zu haben. Wiederholen Sie diesen Zyklus des Ein- und Ausatmens fünf Mal und konzentrieren Sie sich auf einen gleichmäßigen Sauerstofffluss.

Sobald Sie diese Übung beherrschen, ist es nicht mehr notwendig, die Arme begleitend vom Bauch zu den Rippen und den Schlüsselbeinen zu führen. Die Hände können dann auf den Knien ruhen.

„Und Ihr Atem löst sich im allumfassenden Reich der Wahrheit auf." Sogyal Rinpoche

REINIGUNGSATMUNG

Die folgende Übung zählt zu den belebendsten Atemübungen im Yoga und sorgt für Klarheit und Energie. Im Gegensatz zu anderen Atemtechniken handelt es sich hier um eine schnelle und rhythmische Atmung. Wichtig dabei ist vor allem das Ausatmen. Bei den ersten Versuchen konzentrieren Sie sich daher primär auf das Ausatmen, das kraftvoll und pumpend erfolgen soll, und denken Sie nicht an das Einatmen, das ganz automatisch geht.

Sobald Sie das beherrschen, können Sie sich auf das Einatmen konzentrieren. Wenn Sie mit dieser Technik noch nicht vertraut sind, kann das schnelle Atmen eventuell Schwindelgefühle verursachen. In diesem Fall pausieren Sie und atmen Sie langsam und tief durch die Nase. Während der Schwangerschaft, bei Herz-

problemen, Bluthochdruck, Depressionen, Panikattacken, Angstzuständen, Epilepsie, Diabetes sowie im Fall einer erst jüngst er-
folgten Bauchoperation sollten Sie diese Übung nicht durchführen.

Setzen Sie sich mit überkreuzten Beinen oder in einer
anderen Meditationshaltung (siehe Seiten 80/81) hin. Atmen Sie
einige Male normal, dann atmen Sie durch die Nase und bringen
die Luft bis tief in Ihren Bauch. Nun atmen Sie rasch durch die
Nase aus – stellen Sie sich dabei vor, Kerzen auf einer Geburts-
tagstorte auszublasen. Dazu müssen Sie Ihre Bauchmuskeln
anspannen, wobei sich das Zwerchfell plötzlich hebt. Wenn Sie
die Hand auf die unteren Rippen legen, werden Sie diese
Bewegung spüren.

Entspannen Sie Ihre Bauchmuskeln kurz – dabei gelangt Luft
in Ihre Lunge. Wiederholen Sie das rhythmische pumpende
Ausatmen und das automatische Einatmen vier Mal. Dabei sollten
Sie hören, wie die Luft aus Ihrer Nase kommt. Vier Mal Ausatmen
zählt als ein Durchgang. Versuchen Sie vier Durchgänge hintereinander. Atmen Sie dann wieder normal und genießen Sie die
mentale Klarheit und Ruhe. Strecken Sie sich nun, bevor Sie auf-
stehen und den Tag beginnen.

KONZENTRATION

Eine kurze Meditation sorgt für Konzentration, Energie und Klarheit an einem neuen Tag. Der folgende, aus dem Zen-Buddhismus (siehe Seite 64) stammende Vergleich zeigt, warum Meditation so hilfreich ist. Unser Geist ähnelt der Wasseroberfläche eines Sees und unsere Gedanken sind der Wind. Solange der Wind bläst, ist die Wasseroberfläche rau. Erst wenn der Wind sich legt, wird das Wasser ruhig und das Spiegelbild sichtbar. Damit der Geist in seiner wahren Form existieren kann, muss auch er den Punkt der perfekten, ungebrochenen Ruhe erreichen, der nicht von Gedanken gestört wird.

Für Meditation bietet sich vor allem der Morgen an, bevor man zur Arbeit geht oder seine Aufgaben zu Hause beginnt. Wenn Sie diese Übungen drei oder vier Mal pro Woche machen, werden Sie sich bald ruhiger und konzentrierter fühlen. Bei der folgenden Methode des „Atemzügezählens" muss man jeweils zehn Atemzüge zählen. Sie haben eine unmittelbare Erfolgskontrolle, denn sobald die Gedanken abschweifen, vergisst man mitzuzählen und man muss sich wieder bewusst auf das Zählen konzentrieren.

Meditationsanfängern mag diese Technik sehr simpel erscheinen. Doch viele Menschen sind versucht, sich dabei zu kratzen oder zu bewegen, oder man stellt fest, dass die Gedanken um Sorgen kreisen oder bestimmte Erinnerungen hochkommen. Das Ziel ist jedoch immer dasselbe – die Aufmerksamkeit wieder auf das Zählen der Atemzüge zu lenken. Wenn Sie sich verzählen, macht das auch nichts – fangen Sie einfach von vorne an.

KONZENTRATION DURCH MEDITATION

Suchen Sie sich ein ruhiges Plätzchen und setzen Sie sich in einer bequemen Meditationspose (siehe Seiten 80/81) hin, oder knien Sie sich mit einem Kissen zwischen den Beinen hin. Legen Sie die rechte Hand mit der Handfläche nach oben in die linke. Führen Sie die Daumenkuppen leicht zusammen, sodass ein Oval zwischen den Daumen und den anderen Fingern entsteht. Halten Sie die Hände in dieser Position nun in die Nähe Ihres Bauches und stützen Sie die Arme dabei auf die Oberschenkel. Dabei lenken Sie die Aufmerksamkeit nach innen. Blicken Sie auf den Boden vor Ihnen. Atmen Sie durch die Nase und zählen Sie jedes Ausatmen mit. Zählen Sie jeweils fünf bis zehn Minuten bis 10 und dann wieder zurück bis 1. Dann sollten Sie sich strecken, gähnen und sich auf den vor Ihnen liegenden Tag einstimmen.

„Sitze dann wie ein Berg - unerschütterlich und erhaben,
völlig entspannt und mit dir selbst im Reinen, ganz
gleich, wie stark der Wind, der gegen deine Hänge fegt,
wie dick die dunklen Wolken rund um deinen Gipfel."

Sogyal Rinpoche

ARBEITEN

Arbeit gibt dem Leben einen Sinn und kann sogar ein wichtiger Schritt auf dem Weg zur persönlichen und spirituellen Entwicklung sein. Im Buddhismus gilt die Arbeit oder der „richtige Lebensunterhalt" als eine der Tugenden des achtfachen Pfads zur Erleuchtung. Doch der Stress und die Hektik des modernen Arbeitslebens machen diesen Weg manchmal sehr beschwerlich.

Dieses Kapitel befasst sich mit den Möglichkeiten, den Stress durch Meditation und Techniken wie Yoga, Reiki und Akupressur in den Griff zu bekommen und sich den ganzen Tag körperlich und seelisch wohl zu fühlen.

KONZENTRATION

Eine unbeirrbare Konzentrationsfähigkeit über längere Zeit hinweg ist für ein erfolgreiches Berufsleben äußerst wichtig. Im Yoga heißt es, dass sich ein Zustand entspannter Konzentration von selbst einstellt, wenn der Körper von einer frei fließenden Lebenskraft (*Prana*) genährt wird. Die folgende Übung fördert dies. Idealerweise üben Sie morgens, bevor Sie zur Arbeit gehen oder in einer Arbeitspause, notfalls auch abends.

Die Grundstellung (Schritt 1) verhilft Ihnen zu einem Gefühl der Zentrierung. Die Gleichgewichtshaltung (Schritt 2) hilft Ihrem Geist, alle Ablenkungen auszuschalten. Die Umkehrhaltungen (Schritt 3 und 4) fördern die Konzentration, da das Gehirn dabei verstärkt mit Blut versorgt wird. Mit den Umkehrhaltungen sollten Sie vorsichtig sein, wenn Sie unter Bluthochdruck oder Nacken- oder Kopfschmerzen leiden oder diese Haltung als unbequem oder schwierig empfinden. Verharren Sie in jeder dieser Stellungen so lange, wie es für Sie angenehm ist. Beenden Sie die Übungen langsam und atmen Sie dabei tief und gleichmäßig. Sollten Sie sich schwindlig, kurzatmig oder unwohl fühlen, entspannen Sie sich einige Minuten auf dem Rücken liegend.

KONZENTRATIONSÜBUNG

1 Stellen Sie sich aufrecht hin, die Füße stehen parallel zueinander, die Arme hängen seitlich herab. Nacken und Schultern sollten entspannt und das Becken gerade sein. Nehmen Sie die Handflächen wie zum Gebet zusammen. Schließen Sie nun die Augen und stellen Sie sich vor, dass Sie im Boden Wurzeln schlagen.

2 Heben Sie das rechte Knie und drehen Sie es um 90 Grad nach außen. Legen Sie die rechte Fußsohle möglichst weit oben auf das linke Bein, ohne dabei das Gleichgewicht zu verlieren. Blicken Sie geradeaus. Wiederholen Sie die Übung mit dem anderen Bein.

3 (a) Legen Sie sich auf den Rücken auf eine zusammengefaltete Decke, sodass Ihr Kopf am Boden und die Schultern auf der Decke liegen. Ziehen Sie die Knie zur Brust und heben Sie Beine und Hüften mithilfe Ihrer Bauchmuskeln. Unterstützen Sie den unteren Rücken dabei mit den Händen. (b) Strecken Sie die Beine aus und gehen Sie in den Schulterstand. Unterstützen Sie das Gewicht auf Schultern, Kopf und Oberarmen mit den Händen.

4 Beugen Sie die Hüften und legen Sie die Zehen hinter dem Kopf in Pflugposition ab. Stützen Sie dabei den unteren Rücken mit den Händen. Kehren Sie langsam in die Rückenlage zurück.

KONZENTRATIONSÜBUNG

1 Stellen Sie sich aufrecht hin, die Füße stehen parallel zueinander, die Arme hängen seitlich herab. Nacken und Schultern sollten entspannt und das Becken gerade sein. Nehmen Sie die Handflächen wie zum Gebet zusammen. Schließen Sie nun die Augen und stellen Sie sich vor, dass Sie im Boden Wurzeln schlagen.

2 Heben Sie das rechte Knie und drehen Sie es um 90 Grad nach außen. Legen Sie die rechte Fußsohle möglichst weit oben auf das linke Bein, ohne dabei das Gleichgewicht zu verlieren. Blicken Sie geradeaus. Wiederholen Sie die Übung mit dem anderen Bein.

3 (a) Legen Sie sich auf den Rücken auf eine zusammengefaltete Decke, sodass Ihr Kopf am Boden und die Schultern auf der Decke liegen. Ziehen Sie die Knie zur Brust und heben Sie Beine und Hüften mithilfe Ihrer Bauchmuskeln. Unterstützen Sie den unteren Rücken dabei mit den Händen. (b) Strecken Sie die Beine aus und gehen Sie in den Schulterstand. Unterstützen Sie das Gewicht auf Schultern, Kopf und Oberarmen mit den Händen.

4 Beugen Sie die Hüften und legen Sie die Zehen hinter dem Kopf in Pflugposition ab. Stützen Sie dabei den unteren Rücken mit den Händen. Kehren Sie langsam in die Rückenlage zurück.

„Gehe um Hindernisse herum und nicht geradewegs auf sie zu. Kämpfe nicht um den Sieg, sondern warte geduldig auf den richtigen Zeitpunkt." Tao Te Ching

ENERGIE AM ARBEITSPLATZ

Die Prinzipien des Feng Shui, der chinesischen Kunst der Objektanordnung, können Sie an Ihrem Schreibtisch im Büro ebenso wie in einem für Arbeit oder Lernen vorgesehenen Bereich zu Hause anwenden, um damit Ihr Wohlbefinden und die Effizienz der Arbeit zu steigern. Ein grundlegendes Prinzip von Feng Shui besagt, dass Räume keinerlei Durcheinander aufweisen dürfen, wenn positive Energie (*Chi*) ungehindert fließen soll. Der erste Schritt liegt also darin, unordentliche Stapel von Büchern, Kartons oder Mappen wegzuräumen und Gänge und Türen frei passierbar zu machen.

VERÄNDERN DES ARBEITSPLATZES

Feng Shui-Experten empfehlen, beim Betreten der Arbeitsumgebung die Änderung unserer Stimmung und des Energiepegels zu beobachten. Wenn der Stress dabei steigt oder man sich einfach nicht wohl fühlt, können kleine Veränderungen, wie etwa das Verrücken des Schreibtisches, einen großen Unterschied bewirken. Vermeiden Sie nach Möglichkeit eine Sitzposition mit dem Rücken zur Tür, da dies ein unbewusstes Gefühl der Verwundbarkeit hervorrufen kann. Besser ist es, mit dem Rücken zur Wand zu sitzen, sodass man in den Raum oder aus dem Fenster blickt. Wenn dies nicht möglich ist, kann man einen Spiegel am Schreibtisch anbringen, um darin den Raum hinter seinem Rücken zu sehen.

Sicherheit und Bequemlichkeit sind äußerst wichtig. Die ungünstige Anordnung von Tisch und Stuhl kann eine schlechte Haltung sowie Nacken- und Kopfschmerzen zur Folge haben, behindert aber auch den inneren Energiefluss. Das wiederum kann Müdigkeit und Konzentrationsschwierigkeiten verursachen. Der Stuhl sollte daher stabil und flexibel einstellbar sein (siehe Seite 44). Achten Sie auf ausreichend Beinfreiheit sowie eine gerade Position der Unterarme auf dem Schreibtisch.

GESTALTEN DES ARBEITSPLATZES

Schmücken Sie Ihren Arbeitsplatz mit Fotos, Bildern oder Gegenständen, die Ihnen wichtig sind. Wenn Sie oft gestresst sind, stellen Sie ein ruhiges und meditatives Bild auf Ihren Tisch, etwa das Foto einer friedlichen Landschaft, eines Sees oder Wasserfalls. Dieses soll Sie, wenn es hektisch wird, an Atemübungen (siehe Seiten 82–85) oder Visualisierungstech-

niken erinnern. Natürliche Objekte fördern den Energiefluss. Legen Sie einen Stein oder Kristall auf Ihren Schreibtisch oder stellen Sie eine Topfpflanze oder eine Vase mit Blumen in Ihrer Nähe auf. (Tote oder absterbende Pflanzen hingegen entziehen der Umgebung Energie.) Brunnen stehen für permanente Veränderung und fördern damit die Produktivität. Wenn die Kollegen nichts dagegen haben, können Sie auch für eine natürliche Geräuschkulisse oder Düfte sorgen. Windspiele in einem Durchgang sorgen für eine entspannende Geräuschkulisse, und ätherische Öle wie etwa Orange oder Zitrone wirken belebend.

FARBE UND LICHT

Vielleicht können Sie auch Einfluss auf die Farbgebung Ihres Arbeitsplatzes nehmen. Blau wirkt beruhigend, Gelb belebt und fördert die Kommunikation und Rot aktiviert. Wenn keine grundlegenden Veränderungen möglich sind, können auch Bilder und ein farbenfroher Bildschirmschoner zum Wohlbefinden beitragen.

Auch die Beleuchtung beeinflusst die Stimmung und den Energiepegel. Ideal sind natürliches Licht und eine zusätzliche Lichtquelle von der Seite; von Neonleuchten ist abzuraten.

ARBEITSDISZIPLIN

Disziplin ist ein im Westen oft falsch verstandenes Konzept, denn wir denken dabei zumeist an strenge Regeln, denen wir uns automatisch widersetzen wollen. Für die Buddhisten steht Disziplin hingegen für die Konzentration auf das Wesentliche, wodurch es erst möglich wird, das wirklich Wichtige als solches zu erkennen. Die folgenden vier Techniken basieren auf dem buddhistischen Verständnis von Disziplin und sollen Ihnen helfen, Klarheit in Ihren Arbeitstag zu bringen.

VERSTEHEN DES SINNS

Stellen Sie sich folgendes Szenario vor: Drei Männer arbeiten gemeinsam an der gleichen Aufgabe, als ein Außenstehender jeden von ihnen fragt, was er denn da mache. Der erste Mann antwortet: „Ich arbeite." Der zweite sagt: „Ich lege Ziegel." Der dritte antwortet: „Ich baue eine Kirche." Die ersten beiden Männer haben eine eingeschränkte Sichtweise ihrer Arbeit. Der dritte jedoch erkennt den Sinn seiner Tätigkeit und kann dadurch auch den Fortschritt seiner Arbeit messen.

Wenn man den Sinn seiner Arbeit versteht, arbeitet man zielgerichteter, effizienter und mit einer positiveren Einstellung.

Wenn Sie also die nächste Aufgabe in Angriff nehmen, fragen Sie sich: „Inwieweit hilft mir diese Aufgabe, meine Arbeit zu verrichten?" Wenn eine Aufgabe nicht relevant erscheint, verschieben Sie diese oder lassen Sie sie ganz beiseite. Reduzieren Sie die Anzahl der Telefonate und Memos und distanzieren Sie sich von allen Machtspielchen. Konzentrieren Sie sich besser auf jene Aufgaben, die notwendig sind, um Ihre Ziele zu erreichen.

ALLE VERBLEIBENDEN AUFGABEN SIND GLEICHWERTIG

Wenn Sie sich den Zweck Ihrer Arbeit vor Augen geführt und sich der unnötigen Aufgaben entledigt haben, betrachten Sie alle verbleibenden Aufgaben als gleichwertig. Ein wichtiger Aspekt im Buddhismus besagt, dass „aus wenig viel wird". Bei der Arbeit werten wir oft, ohne uns dessen bewusst zu sein. Unterbewusst betrachten wir manche Aufgaben als langweilig, interessant, schwierig etc. Folglich vernachlässigen wir die „negativen" Aufgaben und konzentrieren uns auf die „positiven". Schließlich stehen wir vor einem Berg an Aufgaben, die uns zuwider sind.

Stellen Sie sich einmal vor, wie sich unser Arbeitsleben ändern würde, wenn alle Aufgaben gleichwertig wären, wenn Sie die verhasstesten Aufgaben mit völliger Hingabe und Konzentration erledigen könnten. Das mag schwierig erscheinen, doch Sie müssen nur erkennen, dass das Gefühl von Frustration, Langeweile und Ungeduld nur auf unseren Umgang mit einer Aufgabe, nicht aber auf die Aufgabe selbst zurückzuführen ist.

Versuchen Sie es einmal: Wählen Sie eine ungeliebte Aufgabe und arbeiten Sie mit voller Konzentration und in aller Ruhe daran. Führen Sie sich die Wichtigkeit der Aufgabe vor Augen. Danach belohnen Sie sich nicht dafür, etwas Unangenehmes hinter sich gebracht zu haben, sondern nehmen einfach zur Kenntnis, dass diese Aufgabe nun erledigt ist. Bei dieser Übung lernen Sie, Ihre üblichen emotionalen Reaktionen im Zaum zu halten und machen die Erfahrung, dass man eine Aufgabe auch leidenschaftslos verrichten kann. Diese Einstellung kann Ihnen zu einer stressfreieren und effizienteren Arbeitsweise verhelfen.

ORDNEN SIE IHRE GEDANKEN

Disziplin bei der Arbeit kann auch darin bestehen, die Gedanken zu ordnen. Yoga vergleicht das Gehirn mit einem Käfig aufgeregter Affen. Selbst wenn Sie mit einer Aufgabe beschäftigt sind, kreisen die Gedanken vielleicht schon um die nächste Aufgabe, eine Besprechung oder ein Telefonat; eventuell überlegen Sie auch, wie schnell Sie arbeiten oder Sie sind gedanklich bei Themen, die keinen Bezug zur Arbeit haben.

Langfristig ist Meditation der Schlüssel zu erhöhter Konzentration (siehe Seite 78). Kurzfristig können Sie an einem hektischen Tag Ihre Gedanken aber auch mithilfe der so genannten „Zentrierung" ordnen. Überlegen Sie sich zunächst, was konkret Sie durch diese Meditationstechnik erreichen wollen. Wollen Sie sich entspannen oder aufmerksamer sein? Wählen Sie ein passendes Wort, etwa „entspannen" oder „konzentrieren".

Setzen Sie sich nun auf einen Stuhl und sagen Sie beim Einatmen das Wort „ruhig" und beim Ausatmen das Wort Ihrer Wahl. Sie müssen Ihre Augen dazu nicht schließen oder die Atmung verändern. Konzentrieren Sie sich auf die beiden Worte, indem Sie diese im Rhythmus Ihrer Atmung eine Minute lang wiederholen (nicht länger, da das Gehirn eine rasche Zentrierung erlernen muss). Wenn Sie abgelenkt werden, denken Sie wieder an die beiden Worte, die Sie gerade wiederholen. Nach einer Minute reflektieren Sie und überlegen Sie, ob Sie sich nun anders fühlen – physisch, mental oder emotional. Wenn Sie keinen Unterschied bemerken, macht das auch nichts. Üben Sie zu unterschiedlichen Zeiten etwa fünfmal täglich. Nach einiger Zeit wird Ihr Gehirn entsprechend trainiert sein und rasch auf die Zentrierungsübungen ansprechen. Gehen Sie immer in drei Schritten vor: Festlegen des Ziels, Zentrieren, Reflektieren.

DISTANZIEREN SIE SICH VON ALLEN ABLENKUNGEN

Ein Problem im Arbeitsleben ist es, dass man oft mehrere Aufgaben gleichzeitig verrichten muss. Dies kann sehr stressig sein, da das Gehirn dafür nicht optimal geeignet ist. Eine Lösung besteht darin, alle Aufgaben aufzulisten und diese hintereinander zu erledigen. Man kann das Gehirn aber auch dahingehend trainieren, sich von allen unnötigen Ablenkungen zu distanzieren. Die folgende Technik zeigt Ihnen, wie Sie Ablenkungen erkennen und diese bewusst ignorieren können. Die Übung dauert etwa 15 Minuten und kann vor oder nach der Arbeit oder während der Mittagspause gemacht werden. Setzen Sie sich bequem hin und konzentrieren Sie sich auf die Atmung durch die Nase. Verändern Sie die Atmung nicht, sondern beobachten Sie lediglich, wie die

Luft ein- und austritt. Wenn Sie etwa durch eine körperliche Missempfindung (z. B. ein juckendes Bein) oder einen Gedanken, wie etwa die Frage nach dem Mittagessen oder ein Gefühl wie zum Beispiel Gereiztheit abgelenkt werden, konzentrieren Sie sich wieder auf den Atem. Klassifizieren und benennen Sie die Ablenkung, etwa: „Ich fühle mich ungeduldig, weil ich mich nicht konzentrieren kann." Nun wenden Sie Ihre Gedanken wieder der Nasenatmung zu. Dies bedarf einer bewussten Willensanstrengung und wird als aktives Loslassen bezeichnet. Wenn es Ihnen hilft, können Sie die jeweilige Ablenkung auch mit dem Wort „später" kommentieren. Konzentrieren Sie sich die restlichen 15 Minuten auf die Atmung und wenden Sie gegebenenfalls erneut die Technik des aktiven Loslassens an.

Üben Sie jeden Tag. Bald schon werden Sie in der Lage sein, die Vorgänge in Ihrem Kopf rasch zu identifizieren und sich davon zu distanzieren, denn oft sind wir uns des mentalen Hintergrundgeplappers in unserem Kopf gar nicht bewusst. Fragen Sie sich daher gelegentlich: „Was hat mein Gehirn die letzten Minuten gemacht?" Sobald Sie erkennen, dass Sie geistig abschweifen, können Sie wieder zum Wesentlichen zurückkehren.

SITZEN UND STEHEN

Der menschliche Körper ist nicht dafür geschaffen, den ganzen Tag ruhig zu sitzen. Es ist daher nicht verwunderlich, dass Menschen, die nicht mit geradem Rücken sitzen oder stehen, oft unter Haltungsproblemen leiden. Yoga hilft Ihnen, den Körper wieder an eine aufrechte Haltung mit entspannter Muskulatur zu gewöhnen. Das wird Ihrer Gesundheit zuträglich sein, und Sie werden sich nach einem Arbeitstag weniger müde fühlen.

Haltungsfehler wie etwa eine falsche Sitzposition können zu Muskelverspannungen im Nacken-, Schulter- und Rückenbereich führen. Dies kann man vermeiden, wenn man den Kopf gerade und in Verlängerung der Wirbelsäule hält. Diese neue Haltung mag sich anfangs seltsam anfühlen, doch nach einiger Zeit wird sie Ihnen ganz natürlich erscheinen.

Die folgenden Übungen – die „Berghaltung" und die „ägyptische Haltung" – sind aus Yoga-Stellungen entstanden. Zunächst müssen Sie alle Muskeln entspannen, die nicht für die gewählte Sitz- oder Standposition erforderlich sind.

DIE ÄGYPTISCHE HALTUNG (Abb. rechts)

Setzen Sie sich auf einen Stuhl und stellen Sie die Füße flach auf den Boden. Die Knie sind dabei geschlossen oder leicht geöffnet. Wirbelsäule und Nacken sollten eine gerade Linie bilden, der Kopf sollte aufrecht gehalten werden und nicht nach vorne oder hinten geneigt sein. Machen Sie sich groß, strecken Sie sich und verlagern Sie das Gewicht des Oberkörpers auf die Sitzknochen. (Diese finden Sie, indem Sie sich im Schneidersitz auf dem Boden seitlich hin- und herbewegen.)

DIE BERGHALTUNG (Abb. gegenüber)

Stellen Sie die Füße parallel und leicht geöffnet auf den Boden und spüren Sie diesen bewusst unter Ihren Füßen. Schließen Sie die Augen und bewegen Sie den Körper in kleinen Kreisen, bis Sie Ihr natürliches Zentrum finden. Kopf, Nacken, Wirbelsäule, Bauch und Beine sollten eine gerade Linie bilden. Die Schultern sind entspannt und das Kinn zeigt nach vorne.

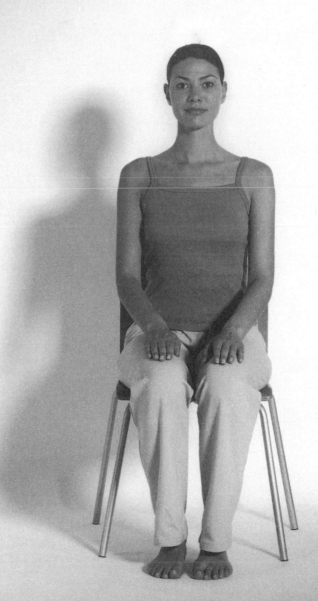

BERUHIGUNG

Eine der bewährtesten Beruhigungstechniken ist die der Yoga-Lehre entnommene Nasenatmung. Wenn Sie nervös, gestresst, wütend oder einfach nicht bei der Sache sind, hilft Ihnen diese Übung, wieder die richtige Perspektive zu finden. Diese Technik besteht im Wesentlichen darin, durch ein Nasenloch einzuatmen und durch das andere auszuatmen. Zum Schließen der Nasenlöcher verwenden Sie die Fingertechnik *Vishnu mudra*.

Yoga besagt, dass diese Atmungsweise für ein Gleichgewicht zweier Energiekanäle (*Nadis*) im Körper sorgt. Diese *Nadis*, *Ida* und *Pingala*, haben gegensätzliche Aufgaben. Während *Ida nadi* mit dem Ruhezustand assoziiert wird, fördert *Pingala nadi* die Aufmerksamkeit. Durch die abwechselnde Atmung durch das rechte und linke Nasenloch entsteht ein ausgewogener Energiefluss (*Prana*). Dieser sorgt für ein Gefühl von Harmonie und Gleichgewicht im Nervensystem und beruhigt.

Die Nasenatmung kann etwas Übung erfordern, doch nach einigen Übungseinheiten zu Hause kann man damit bereits bei der Arbeit Stress abbauen. Wichtig dafür ist lediglich, dass beide Nasenlöcher frei sind – bei Erkältung oder Schnupfen ist diese Übung daher nicht möglich. Atmen Sie während der gesamten Übung langsam, tief und gleichmäßig. Der Atem muss dabei bis in den Bauch gelangen (siehe Seite 26). Die Gesichtsmuskulatur sollte entspannt und die Konzentration gänzlich auf den Atemfluss gerichtet sein.

ABWECHSELNDE NASENATMUNG

Setzen Sie sich aufrecht auf einen geraden Stuhl (siehe Seite 44) oder im Schneidersitz auf den Boden. Bringen Sie die rechte Hand in die *Vishnu mudra*-Position, indem Sie Zeige- und Mittelfinger in die Handfläche legen. Die linke Hand liegt auf Ihrem linken Knie. Schließen Sie nun das rechte Nasenloch mit dem rechten Daumen und atmen Sie tief durch das linke Nasenloch ein. Danach schließen Sie das linke Nasenloch mit Ringfinger und kleinem Finger. Halten Sie nun die Luft kurz an. (Der Daumen bleibt dabei auf dem rechten Nasenloch.) Lösen Sie den Daumen und atmen Sie durch das rechte Nasenloch aus. Nun atmen Sie durch das rechte Nasenloch ein, schließen es mit dem Daumen und halten kurz die Luft an. Nehmen Sie die Finger vom linken Nasenloch und atmen Sie aus. Wiederholen Sie diese Abfolge mindestens zehn Mal.

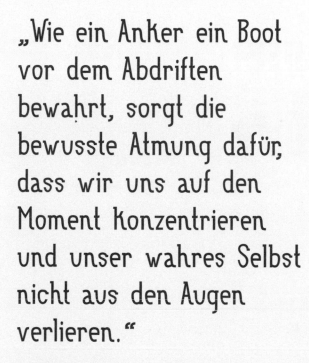

„Wie ein Anker ein Boot vor dem Abdriften bewahrt, sorgt die bewusste Atmung dafür, dass wir uns auf den Moment konzentrieren und unser wahres Selbst nicht aus den Augen verlieren."

Thich Nhat Hanh

REIKI BEI DER ARBEIT

Reiki ist eine japanische Therapie, die den inneren Energiefluss durch Handauflegung regelt. Diese Technik ist einfach und ideal zur Selbsthilfe – etwa bei Stress, Angst oder Kopfschmerzen – geeignet, da man sie auch am Arbeitsplatz anwenden kann. *Rei* steht für „spirituelles Bewusstsein" und *Ki* (wie *Chi* und *Qi*) bedeutet „Lebenskraft".

Wie viele andere östliche Therapien basiert auch Reiki auf der Lebenskraft, die in uns und rund um uns fließt. Wenn dieser Energiefluss durch negative Gedanken und Gefühle gestört wird, funktionieren die Zellen und Organe nicht mehr richtig und wir werden stress- und krankheitsanfällig. Reiki löst die Energieblockaden und baut die negativen Energien ab.

SELBSTFINDUNG

Im Gegensatz zu bewegungsbasierten Therapien wie etwa Akupressur oder Massage hängt der Erfolg von Reiki einzig und allein von der Intention des Heilers – des Reiki-Meisters oder Ihnen selbst – und den heilenden Händen auf dem Körper ab. Reiki wird manchmal auch als spirituelle Heilung bezeichnet, bei der man seinem wahren Selbst näher kommt. Menschen, die eine Reiki-Ausbildung machen, durchlaufen einen Initiationsprozess, in dem sie von einem Reiki-Meister „eingeweiht" werden. Von diesem Moment an können sie für den Rest des Lebens selbst Energien über ihre Hände übertragen.

BEHANDELN EINES ENERGIEUNGLEICHGEWICHTS

Selbst wenn man noch nicht eingeweiht wurde, kann man Reiki als Naturheilmethode anwenden. Die folgende Reiki-Anwendung soll Energieungleichgewichte in Kopf und Hals beseitigen. Die erste Handposition (1) kann Kopfschmerzen, Migräne, Allergien, Zahnschmerzen und Beschwerden in den oberen Atemwegen lindern. Die zweite Position (2) stärkt die mentalen Kräfte und lindert Kopfschmerzen, Migräne und Stress. Die dritte (3) stimuliert den Energiefluss und beseitigt Stress und Nervosität. Die vierte (4) hilft bei Kopfschmerzen, Migräne und Augenproblemen.

Um Reiki bei sich selbst anzuwenden, sollten Sie entspannt, bequem und aufrecht sitzen – eventuell sogar am Schreibtisch. Atmen Sie durch die Nase und bringen Sie Luft bis in den Bauchraum. Achten Sie auf die Stelle, an der Ihre Hände ruhen, denn die Energie fließt dorthin, wo auch die Gedanken sind.

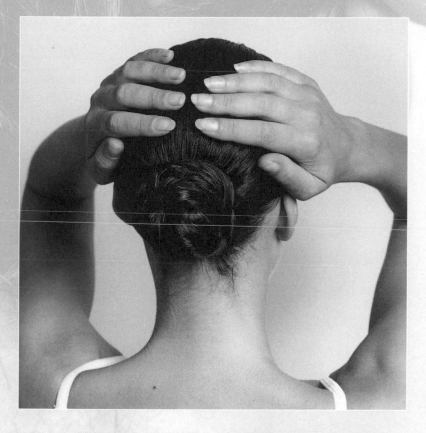

Bedecken Sie Ihr Gesicht mit den Händen, sodass die Fingerspitzen oben auf der Stirn zu liegen kommen (1). Legen Sie die Hände an den Kopf, wobei die Fingerspitzen oben auf dem Kopf und die Handflächen auf beiden Seiten des Kopfes liegen (2, oben links). Legen Sie nun eine Hand sanft um den Hals und die andere direkt darunter flach auf die Brust (3, oben rechts). Führen Sie die Hände nun zum Hinterkopf. Die Handrücken liegen auf der Schädelbasis und die Fingerspitzen zeigen nach oben. Daumen und Fingerspitzen beider Hände werden jetzt zusammengeführt und bilden eine Art Dreieck (4).

HILFE DURCH AKUPRESSUR

Akupressur wird seit Jahrtausenden zur Linderung von kleinen Beschwerden, etwa typischen arbeitsbedingten Problemen wie Augen-, Schulter- oder Kopfschmerzen eingesetzt. Akupressur und Akupunktur sind Teil der chinesischen Medizin. Krankheitssymptome werden danach Blockaden der Lebensenergie (*Chi*) im Körper zugeschrieben. Beide Therapien zielen darauf ab, diese Blockaden durch Einwirken auf die Energiekanäle (Meridiane) zu lösen. Die Akupunktur bedient sich kleiner Nadeln, während bei der Akupressur die Fingerspitzen eingesetzt werden.

Im ganzen Körper gibt es an bestimmten Stellen auf jedem der insgesamt 14 Meridiane Akupressurpunkte. Diese sind nach dem jeweiligen Meridian benannt, und jeder Punkt wird für die Behandlung bestimmter Beschwerden herangezogen. Müde Augen etwa werden durch Druck auf Le 3 am Lebermeridian aktiviert. Dieser Punkt befindet sich an der Oberseite des Fußes, zwei Fingerbreit entfernt von der Verbindung zwischen erster und zweiter Zehe in Richtung des Knöchels. Schmerzen im unteren Rücken behandelt man mit Akupressur auf den Punkten Bl 23 oder Bl 47, die sich auf dem Blasenmeridian zu beiden Seiten der Wirbelsäule auf Hüfthöhe befinden.

RICHTIGE ANWENDUNG DES DRUCKS

Bei der Akupressur muss ein gleichmäßiger, fester Druck mit der Fingerspitze ausgeübt werden, der ein schmerzhaftes, aber noch angenehmes Gefühl verursachen soll. Setzen Sie den Mittelfinger im rechten Winkel an und halten Sie den Druck etwa 20 Sekunden.

Wenn Sie nicht sicher sind, ob Sie den Punkt genau gefunden haben, tasten Sie im Umfeld, bis Sie ein schmerzendes, taubes oder prickelndes Gefühl verspüren. Wenn dies der Fall ist, haben Sie den richtigen Punkt lokalisiert. Richten Sie den Druck in das Körperinnere. Entfernen Sie den Finger zehn Sekunden lang und drücken Sie dann nochmals 20 Sekunden. Wiederholen Sie dies bis zu sechs Mal. Diese Behandlung sollte in den nächsten Stunden mehrmals wiederholt werden, bis die Symptome nachlassen. Die meisten Akupressurpunkte treten paarweise auf – behandeln Sie daher immer beide Körperhälften.

Die Nägel sollten kurz geschnitten sein; andernfalls können Sie auch die Fingerknöchel oder den Radiergummi eines Bleistiftes einsetzen. Bei Schwangerschaft oder schweren Erkrankungen sollten Sie vor der Selbstbehandlung einen auf chinesische Medizin spezialisierten Arzt konsultieren.

SPANNUNGSKOPFSCHMERZ (Abb. links)

Zur Linderung von Spannungskopfschmerzen drücken Sie Di 4. Dieser Punkt befindet sich auf dem Dickdarmmeridian. Di 4 liegt im Zentrum des Gewebes zwischen Daumen und Zeigefinger an der Handoberseite.

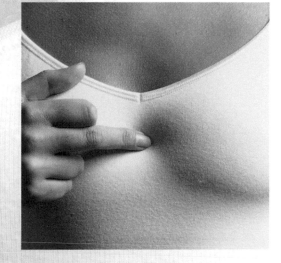

ANGST (Abb. rechts)

Bei Angst oder Aufregung drücken Sie fest das Konzeptionsgefäß KG 17. Dieser Akupressurpunkt gilt auch als „Meer der Ruhe". Er befindet sich in der Mitte des Brustbeins drei Daumenbreit über dem Knochenansatz.

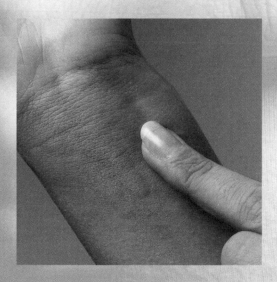

STRESS (Abb. links)

Bei Stress drücken Sie He 6 am Herzbeutelmeridian. Dieser liegt zwischen den zwei Sehnen am inneren Arm zwei bis drei Fingerbreit vom Handgelenk entfernt. Ballen Sie die Hand zur Faust, um die Sehnen zu finden.

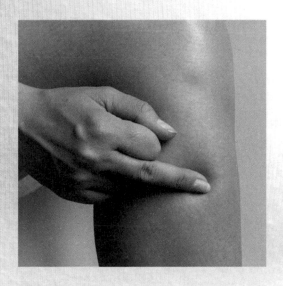

MÜDIGKEIT (Abb. rechts)

Bei Müdigkeit drücken Sie Punkt Ma 36 am Magenmeridian, vier Fingerbreit unter der Kniescheibe in Richtung äußeres Schienbein. Auch Mi 6 am Milzmeridian ist sehr nützlich – drücken Sie drei Fingerbreit über dem Knöchel am Rande des Schienbeins.

GESCHMEIDIGKEIT

Bedingt durch eine sitzende Tätigkeit kann der Körper seine natürliche Geschmeidigkeit verlieren. Oft fallen einem dann einfache Dinge wie etwa das Bücken zu den Zehen oder aufrechtes Sitzen am Boden schwer. Um dieser Ungelenkigkeit vorzubeugen, sollte man untertags Aktivitäten einstreuen und gelegentlich um den Häuserblock gehen. Auch die nachfolgenden Dehnungsübungen können helfen. Man benötigt dafür nicht viel Platz und kann sie im Stehen ausführen. Wenn Sie nur wenig Zeit haben, können Sie die Übungen auch im Sitzen praktizieren (indem Sie Schritt 5 und 6 weglassen), solange Sie sich trotzdem regelmäßig bewegen.

Die erste Dehnungsübung beseitigt Spannungen und fördert die Beweglichkeit der Schultern, die man während der Arbeit oft unbewusst anspannt. Die nächsten vier Armdehnungsübungen verbessern die Haltung und sind ein gutes Training für Schultern, Arme und Finger, wenn man längere Zeit an einer Tastatur gearbeitet hat. Das Vornüberbeugen entspannt Nacken, Schultern und Rücken und verbessert die Durchblutung des Gehirns. Die beiden letzten Positionen verhindern Blutstau in den unteren Extremitäten bei langem Sitzen und dehnen Beine und Füße.

GESCHMEIDIGKEITSÜBUNG

1(a)   1(b)   2   3(a)   3(b)   4   5   6

1 (a) Stellen Sie sich mit leicht geöffneten Beinen hin. Kreisen Sie mindestens fünf Mal langsam die Schultern nach vor und nach hinten. (b) Strecken Sie die Arme vor sich aus und verschränken Sie die Finger. Drücken Sie die Handflächen nach außen.

2 Heben Sie die Arme über den Kopf. Strecken Sie sich mit entspannten Schultern, wobei die Handflächen zur Decke zeigen.

3 (a) Ziehen Sie die Arme nun nach rechts. Kehren Sie in Position 2 zurück. Wiederholen Sie dies links und senken Sie dann die Arme.

4 Verschränken Sie die Finger hinter dem Rücken und beugen Sie sich mit gestreckten oder leicht gebeugten Beinen von der Hüfte aus nach vorne. Führen Sie die Arme wieder zurück und in die Höhe. Halten Sie diese Stellung kurz, ehe Sie in die Standposition zurückkehren.

5 Ziehen Sie das rechte Knie zur Brust. Umfassen Sie es mit den Händen und ziehen Sie das Bein zu sich. Wiederholen Sie dies links.

6 Verlagern Sie das Gewicht auf Ihr linkes Bein und strecken Sie das rechte gerade nach vor. Kreisen Sie den Knöchel je dreimal nach rechts und links. Senken Sie das Bein ab und wiederholen Sie die Übung mit dem linken Bein.

GESCHMEIDIGKEITSÜBUNG

1 (a) Stellen Sie sich mit leicht geöffneten Beinen hin. Kreisen Sie mindestens fünf Mal langsam die Schultern nach vor und nach hinten. (b) Strecken Sie die Arme vor sich aus und verschränken Sie die Finger. Drücken Sie die Handflächen nach außen.

2 Heben Sie die Arme über den Kopf. Strecken Sie sich mit entspannten Schultern, wobei die Handflächen zur Decke zeigen.

3 (a) Ziehen Sie die Arme nun nach rechts. Kehren Sie in Position 2 zurück. Wiederholen Sie dies links und senken Sie dann die Arme.

4 Verschränken Sie die Finger hinter dem Rücken und beugen Sie sich mit gestreckten oder leicht gebeugten Beinen von der Hüfte aus nach vorne. Führen Sie die Arme wieder zurück und in die Höhe. Halten Sie diese Stellung kurz, ehe Sie in die Standposition zurückkehren.

5 Ziehen Sie das rechte Knie zur Brust. Umfassen Sie es mit den Händen und ziehen Sie das Bein zu sich. Wiederholen Sie dies links.

6 Verlagern Sie das Gewicht auf Ihr linkes Bein und strecken Sie das rechte gerade nach vor. Kreisen Sie den Knöchel je dreimal nach rechts und links. Senken Sie das Bein ab und wiederholen Sie die Übung mit dem linken Bein.

„Schätze, was du hast, und du
wirst immer genug haben."

Tao Te Ching

ENTSPANNUNGSSTRETCHING

Körperliche Anspannung bei der Arbeit kann auf mentale und physische Faktoren zurückzuführen sein. Durch großen Zeitdruck und ein großes Arbeitspensum ausgelöster Stress kann zu Verspannungen und Schmerzen im Nacken- und Schulterbereich und eine schlechte Haltung, langes Sitzen oder Stehen in der gleichen Position zu chronischen Verspannungen und Rückenschmerzen führen. Auch ein ergonomisch falscher Arbeitsplatz kann eine schlechte Haltung und übermäßige Belastung verursachen.

Um Verspannungen bei der Arbeit ein Schnippchen zu schlagen, empfehlen sich Dehnungsübungen. Die meisten Menschen mit sitzender Tätigkeit leiden an Verspannungen im Rücken-, Nacken- und Schulterbereich. Das kann sich in Form eines Kribbelns in den Schultern, durch steife Muskeln oder chronische Kopf- oder Rückenschmerzen bemerkbar machen.

Die meisten Übungen zielen darauf ab, die Spannung in den langen Muskeln des Nackens und Rückens mithilfe einer Kombination aus Dehnung und Drehung abzubauen. Vielleicht sind Sie auch rund um Kiefer und Augen verspannt. Das Kiefergelenk ist von Muskeln umgeben, die für eine Vielzahl von Bewegungen zuständig sind. Wenn Ihr Kiefer normalerweise fest geschlossen ist, oder Sie mit den Zähnen aufeinander beißen, kann dies zu Gesichtsschmerzen und Spannungskopfschmerzen führen. (Die Zähne müssen nur beim Kauen aufeinander stoßen.)

Spüren Sie zuerst nach, welche Körperpartien bei Ihnen verspannt sind. Wenn dies etwa Ihr Nacken ist, drehen Sie jedes Mal, wenn Sie daran denken, den Kopf ein paar Mal hin und her. Wenn Sie systematischer vorgehen wollen, können Sie dies auch zu jeder vollen Stunde tun. Wichtig dabei ist jedoch, unangenehme Gefühle oder gar Schmerzen erst gar nicht aufkommen zu lassen.

Die meisten Übungen basieren auf jahrtausendalten Yoga-Techniken. Sie können im Sitzen praktiziert werden und dauern nur wenige Minuten. Suchen Sie sich die Übungen für Ihre Schwachstellen aus oder machen Sie alle hintereinander.

NACKEN-, RÜCKEN- UND SCHULTERVERSPANNUNGEN

Die folgende Dehnungsübung für Rücken und Arme ist angenehm, wenn man lange am Schreibtisch gesessen hat. Egal, was Ihre Kollegen denken – reißen Sie sie einfach mit! Stellen Sie sich hinter einen Stuhl, strecken Sie die Arme über den Kopf und

„Sei leer, sei ruhig.
Sieh zu, wie alles
kommt und geht. Es
kommt aus der
Quelle und kehrt
dorthin zurück.
Das ist der Weg der
Natur." Tao Te Ching

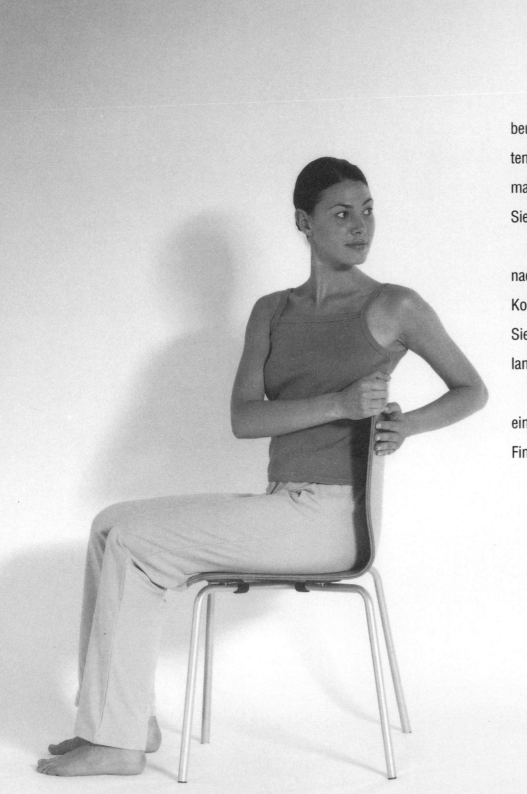

beugen Sie sich nach vorne, bis Oberkörper und Beine einen rechten Winkel bilden. Halten Sie sich an der Stuhllehne fest und machen Sie Nacken und Wirbelsäule so lang wie möglich. Dehnen Sie auch Ihre Finger. Halten Sie die Dehnung etwa zehn Sekunden.

Zur Dehnung des Nackens setzen Sie sich aufrecht mit Blick nach vorne auf einen Stuhl. Atmen Sie aus und drehen Sie den Kopf so weit wie möglich nach rechts. Atmen Sie ein und blicken Sie wieder geradeaus. Atmen Sie aus und drehen Sie den Kopf langsam nach links. Wiederholen Sie dies zwei Minuten lang.

Zur Dehnung des oberen Rückenbereichs setzen Sie sich auf einen Stuhl und ziehen das Kinn zur Brust. Verschränken Sie die Finger und legen Sie diese auf den Hinterkopf. Entspannen Sie die

Arme, sodass deren Gewicht die Nacken- und Rückenmuskulatur dehnt. Wenden Sie den Kopf etwas nach rechts und dann nach links. Blicken Sie danach geradeaus und lösen Sie die Hände.

Wenn Arme und Schultern steif sind, setzen Sie sich auf einen Stuhl und legen den rechten Arm mit der Handfläche nach oben über den linken. Winkeln Sie die Arme ab und drehen Sie die Hände nach oben, um die Handflächen übereinander zu legen. Richten Sie Ihren Atem in den Bereich zwischen den Schulterblättern. Wenn Sie die Dehnung verstärken wollen, heben Sie die Ellbogen höher. Wiederholen Sie die Übung, indem Sie den linken Arm über den rechten legen (siehe Seite 55).

ERLEICHTERUNG BEI RÜCKENSCHMERZEN

Um durch eine falsche Sitzhaltung bedingte Rückenbeschwerden zu lindern, setzen Sie sich auf einen Stuhl und drehen Sie sich um, bis die Brust zur Stuhllehne zeigt. Fassen Sie den Stuhl auf beiden Seiten. Mit aufrechtem Oberkörper drehen Sie sich nun so weit wie möglich und blicken über die führende Schulter. Wiederholen Sie diese Übung auf der anderen Seite (gegenüberliegende Abbildung).

LINDERUNG VON AUGEN- UND GESICHTSVERSPANNUNGEN

Schlechte Beleuchtung oder das Fixieren eines Objekts über längere Zeit können die Augen überanstrengen. Wenn Sie lange auf den Bildschirm oder ein Schriftstück gestarrt haben, blicken Sie nun auf eine imaginäre Uhr über Augenhöhe, die gerade 12 Uhr zeigt. Jetzt blicken Sie auf ein Uhr, auf zwei Uhr und so weiter, bis Sie die ganze Runde gemacht haben. Wiederholen Sie die Übung gegen den Uhrzeigersinn. Reiben Sie nun die Handflächen fest zusammen und legen Sie diese über die geschlossenen Augen, um den Lichteinfall zu verhindern. Die Ellbogen liegen dabei auf dem Schreibtisch oder den Knien, der Kopf ist nach vorne geneigt und Sie atmen tief durch.

Bei Verspannungen der Gesichts- oder Kiefermuskulatur setzen Sie sich aufrecht mit geraden Armen hin. Legen Sie die Handflächen auf die Knie. Beim Einatmen beugen Sie sich leicht nach vorne, öffnen den Mund und strecken Ihre Zunge so weit wie möglich heraus. Öffnen Sie die Augen und blicken Sie auf die Nasenspitze. Strecken Sie Finger und Arme und atmen Sie kräftig und mit dem Laut „Haaa" aus. Kehren Sie in die Ausgangsposition zurück und wiederholen Sie die Übung mehrmals.

ENTSPANNEN

In unserer hektischen Welt mit Handys, Faxgeräten und dicht gedrängten Termin-kalendern ist die Kunst der Entspannung vielfach schon in Vergessenheit geraten.

Wahre Entspannung ist mehr als nur eine Ruhepause für den Körper – vielmehr muss man sich von Allem lösen, die Zeit vergessen und nur für den Moment leben.

Dieses Kapitel befasst sich mit den verschiedenen Wegen zur Entspannung, von kreativer Betätigung, dem Aufenthalt in der Natur bis zum Wandeln auf den Spuren unserer unbeschwerten und fröhlichen Kindheit. Fernöstliche Therapien wie Qi Gong, Yoga-Atmung und Meditation bringen ebenfalls Körper und Geist ins Gleich-gewicht und ermöglichen damit eine ganzheitliche Entspannung.

DIE ZEIT VERGESSEN

Wir dürfen uns nicht rund um die Uhr von der Zeit versklaven lassen. Um uns von all dem Zeitdruck zu befreien, müssen wir uns zunächst der Konsequenzen dieses gehetzten Lebensstils auf unser Wohlbefinden bewusst werden. Selbst ohne Armbanduhr ist die Zeit durch Wecker, Radio und Fernsehen immer präsent. Oft genug hört man heute schließlich Aussprüche wie „Der Tag hat einfach nicht genug Stunden" oder „Uns läuft die Zeit davon".

Wir gehen zu einer bestimmten Zeit schlafen, stehen zu einer bestimmten Zeit auf (ob wir nun ausgeruht sind oder nicht) und verbringen eine bestimmte Stundenanzahl mit Arbeit. In manchen Unternehmen müssen die Mitarbeiter bereits für kleinste Zeiteinheiten genauestens Rechenschaft ablegen. Das setzt die Menschen unter Druck, jede Minute des Tages produktiv zu sein.

Doch die Konsequenzen dieses permanenten Laufes gegen die Zeit bleiben nicht aus – es kommt zu Angstzuständen, Depressionen, Bluthochdruck und vielen anderen stressbedingten Erkrankungen. Um uns diesem Zeitdruck zu entziehen, müssen wir unsere Einstellung ändern und dürfen die Zeit nicht als etwas Unverrückbares sehen, sondern als gesellschaftliches Konstrukt, das wir an unsere eigenen Bedürfnisse anpassen können.

FINDEN SIE IHRE EIGENE ZEITMESSUNG

Vielleicht hilft es Ihnen, sich dem permanenten Zeitdruck zu entziehen, wenn Sie sich die Zeitmessung anderer Kulturen vor Augen führen. In den Andaman-Wäldern Indiens etwa richten sich die Menschen nach einem „Geruchskalender" und benützen die wechselnden Düfte der Pflanzen und Bäume als Orientierung im Jahreslauf. In manchen Teilen Indiens wird die Zeit einfach durch Ereignisse oder Aktivitäten beschrieben – die Zeit, in der die Rinderherden nach Hause zurückkehren, ist etwa als „Rinderstaubzeit" bekannt. Einige nordamerikanische Sprachen haben kein eigenes Wort für Zeit und kennen weder Sekunden, Minuten noch Stunden. Für den Mond, Tag und Nacht, Sonnenauf- und -untergang gibt es hingegen eigene Begriffe.

GÖNNEN SIE SICH EINE „AUS-ZEIT"

Wann immer Sie können, sollten Sie sich eine „Aus-Zeit" gönnen. Legen Sie Ihre Uhr ab und fragen Sie andere nicht nach der Uhrzeit. Hören Sie einfach auf Ihre Körperuhr und schaffen Sie damit Ihr eigenes Zeitsystem. Essen Sie, wenn Sie hungrig sind, gehen Sie schlafen, wenn Sie müde sind und schlafen Sie, bis Sie ausgeruht sind. Dies bietet sich vor allem für die Ferien an, denn dann können Sie mehrere Tage hintereinander ausschließlich auf Ihre innere Uhr hören. Geben Sie dem Zwang, den Tag durch Aktivitäten, Ausflüge und Unternehmungen zu strukturieren, nicht nach, sondern gestehen Sie sich zu, nichts zu tun und nur zuzusehen, wie die Zeit vergeht.

GESTALTEN SIE IHRE ZEIT

Nicht nur in den Ferien ist es wichtig, sich etwas Zeit für sich alleine zu stehlen. Lehrer östlicher Disziplinen empfehlen Meditation (siehe Seite 78) zur Schaffung „zeitfreier" Zonen. Westliche Time-Management-Experten wiederum raten, bewusst Zeit für Sport und Freizeit zu schaffen und diese Aktivitäten keinesfalls ausfallen zu lassen.

Ein anderer Rat aus dem Time Management lautet, Listen erreichbarer Ziele zu erstellen und dabei Prioritäten zu setzen.. Akzeptieren Sie, dass nicht alle umsetzbar sind, manche delegiert oder gestrichen werden müssen und immer einige Aufgaben zur Erledigung anstehen. Loben Sie sich für alle erledigten Aufgaben, und kritisieren Sie sich nicht für jene, die zu kurz gekommen sind.

DIE KUNST DES ZEN

Auf der Suche nach mentalem und spirituellem Frieden kann es hilfreich sein, sich eine andere Sichtweise der Welt und der eigenen Rolle darin zuzulegen. Dies kann über Zen, eine Form des Buddhismus, erfolgen, die dem antiken China entstammt. Zen kann am ehesten als spiritueller Weg oder „Weg des Seins" beschrieben werden. Die Vorstellung des „Selbst" unterscheidet sich vom westlichen Konzept, wo wir uns als Individuen sehen, die mit anderen Menschen und der Natur nur wenig zu tun haben. Wir definieren uns über unsere Gedanken, Gefühle, Beziehungen und Berufe und meinen, eine eigene Identität zu haben, die über das „Ich" zum Ausdruck kommt. Zen-Buddhisten sind der Ansicht, dass dieses „Ich" eine Illusion ist. Nur das Ego, ein falscher Sinn des Selbst, verhindert, dass wir unsere wahre Natur entdecken. Zen zielt darauf ab, das Ego zu transzendieren.

In Zen gibt es keine Unterscheidung zwischen Ihnen und dem Rest des Universums oder Ihnen und Ihren Erfahrungen. Dieses Bewusstsein ähnelt dem eines Kleinkinds, das das Leben als Fließen, als reines Bewusstsein erlebt. In Zen sagt man: „Niemand sieht und erlebt etwas – es gibt Sehen und Erleben." Wir sind unsere Erfahrungen. Diese Vorstellung, das Ego hinter uns zu lassen, ist befreiend und der einzige Weg, um Frieden zu finden. Solange wir uns über unser Ego identifizieren, sind wir gefangen und müssen die Welt bestimmen oder darunter leiden. Man kann das Ego in den Hintergrund drängen, indem man sich selbst als Teil des universellen Lebensflusses sieht und *Wu Wei* praktiziert.

Das Zen-Konzept besagt, dass man im Einklang mit den Dingen leben und den Fluss des Lebens akzeptieren soll. Bildlich gesprochen sollen wir den Schlüssel, der nicht in ein bestimmtes Schloss passt, nicht mit Gewalt hineindrücken, sondern vorsichtig einführen, bis sich dieser wie von selbst dreht. Die Praxis des *Wu Wei* lehrt uns, mit dem Strom statt gegen den Strom zu schwimmen. Das heißt nicht, dass wir nichts tun sollen – vielmehr sollen wir das Leben ohne Gier, Sehnsucht, Angst, Kritik oder Urteile akzeptieren.

MEDITATIVES GEHEN

Zen-Mönche praktizieren die Disziplin des *Kinhin*, des meditativen Gehens. Dabei konzentriert man sich einfach darauf, zu Fuß zu gehen. Ganz leicht ist das jedoch nicht, da dabei alle anderen Gedanken ausgeschaltet werden müssen. Bei *Kinhin* handelt es

sich um eine äußerst entspannende Meditationsübung in Bewegung, die das Bewusstsein auf jeweils einen Moment lenkt.

Nehmen Sie sich eine Ihnen gut bekannte Route vor, die Sie bei langsamem Tempo in etwa 30 Minuten gehen können. Spüren Sie zunächst Ihre Füße in den Schuhen und das Abheben und Auftreten. Vergegenwärtigen Sie sich den genauen Moment, in dem jede Aktion beginnt. Verlangsamen Sie Ihr Tempo und achten Sie auf die winzigen Bewegungen Ihrer Füße beim Abheben, Schwingen und Aufsetzen. Wiederholen Sie gedanklich das Wort „links", wenn der linke Fuß den Boden berührt und „rechts", wenn der rechte Fuß aufsetzt. Lenken Sie dabei Ihren Blick etwa drei Schritte voraus.

Es erfordert ein wenig Übung, bis man diese „Bewusstseinsstufe" erreicht – das buddhistische Konzept, ganz im Moment zu leben. Wenn man dieses Bewusstsein erlangt hat, meint man, dass die Zeit langsamer vergeht – man kann jede kleinste Bewegung der Füße beobachten, die Füße werden immer leichter oder verschwinden und tauchen wieder auf. Lassen Sie sich von solchen Gefühlen nicht aus dem Konzept bringen – konzentrieren Sie sich einfach wieder auf das Gehen.

GELEBTE KREATIVITÄT

Kreativität ist eine Möglichkeit, Ihr höheres Selbst – die so genannte „Buddha-Natur" – sprechen zu lassen. Anders als viele Ihrer Tagesaufgaben ist Kreativität nicht zielgerichtet, sie ist weder für Ihr physisches Überleben erforderlich noch erwartet Ihre Umwelt diese von Ihnen. Vielmehr sind schöpferische Tätigkeiten etwas, das Sie gerne tun. Denken Sie an einen Töpfer an der Drehscheibe oder ein Kind beim Spielen, die beide völlig in ihrer Tätigkeit aufgehen. Dieses Leben für den Moment tut Ihnen gut. Es befreit Sie von allen Gewohnheiten, die Sie nur halbherzig verrichten und hilft Ihnen, das „Jetzt und Hier" zu genießen.

SEIEN SIE EINS MIT IHRER KREATIVITÄT

Dieses ursprünglich buddhistische Konzept des „Jetzt und Hier" wurde von westlichen Psychologen übernommen, die dies als „den Fluss" bezeichnen. Für Menschen, die auf diesem Gebiet bereits Erfahrungen sammeln konnten, hat die Zeit keine solche Bedeutung (Stunden vergehen wie Minuten), sie sind entspannt und eins mit sich, ohne „Selbst-Bewusstsein". Jeder kann sich diesen „kreativen Fluss" erarbeiten, doch dazu muss man erst die folgenden psychologischen Hindernisse bewältigen.

Sie meinen vielleicht (wenn auch nur unterbewusst), dass Sie sich nur dann kreativ betätigen sollten, wenn Sie etwas gut beherrschen. Möglicherweise denken Sie, dass es keinen Sinn hat, eine Geschichte zu schreiben, wenn diese nicht gut genug für eine Veröffentlichung ist oder ein Bild zu malen, wenn es nicht wert ist, aufgehängt zu werden. Diese Ansichten haben Sie vielleicht aufgrund von Kommentaren von Eltern oder Lehrern in Ihrer Kindheit verinnerlicht, und sie sind nun der Hemmschuh für Ihre Kreativität.

VERSAGEN ERLAUBT

Um gegen diese Angst vor dem Versagen anzukämpfen, sollten Sie sich die Freiheit zugestehen, etwas schlecht zu machen. Sagen Sie sich, dass Sie ein Bild nur zum künstlerischen Ausdruck malen und nur der Prozess, nicht das Ergebnis zählt. Ignorieren Sie Ihr Ego einfach.

Eine weitere Fehlansicht ist die Vorstellung, dass künstlerischer Ausdruck nur in bestimmten Formen erfolgen kann. Malen, Literatur oder Musik fallen einem in diesem Zusammenhang oft ein. Doch man kann seine Kreativität genauso gut beim Tanzen, Kochen, Fotografieren, Einrichten eines Zimmers, Pflanzen eines Blumenbeets oder beim Geschichtenerzählen ausleben. Auch in der Arbeit, der Liebe oder bei der Erziehung der Kinder kann man sich kreativ zeigen.

ALLER ANFANG IST SCHWER

Das Schwierigste bei kreativen Tätigkeiten ist zumeist der Anfang. Es ist leicht, etwas zu planen, doch diesen Plan in die Tat umzusetzen, ist viel schwieriger. Oft meint man, „Wichtigeres" zu tun zu haben. Leider handelt es sich dabei meist um Aufgaben in Beruf oder Haushalt, die wesentlich weniger lohnend als kreative Tätigkeiten sind. Sie sollten aber die für Kreatives aufgewendete Zeit ebenso oder noch mehr schätzen als andere Aufgaben.

Nehmen Sie sich heute ein bisschen Zeit für eine kreative Beschäftigung. Wenn Ihnen die Ideen fehlen, versuchen Sie es mit Meditation, Yoga, dem Betrachten eines schönen Bildes oder inspirierender Musik. Auch ein Tagebuch kann sich zum Entwickeln und Sammeln von Ideen eignen. Man muss nicht mit einer klaren Zielsetzung an die Tätigkeit herangehen – fangen Sie einfach einmal an und lassen Sie sich überraschen.

SPASS MUSS SEIN

Nur allzu leicht vergessen wir, dass es im Leben auch Spaß geben muss. Ehe man sich versieht, bestehen die Tage nur mehr aus Aufgaben und Verpflichtungen, und Spaß und Vergnügen kommen zu kurz. Vielleicht denken Sie, dass Sie dafür keine Zeit haben, man davon nicht leben kann und Spaß somit keinen Zweck erfüllt. Doch auf diese Art wird das Leben sehr eintönig. Fernöstliche Disziplinen wie der Buddhismus betonen das „Sein" mehr als das „Tun", und Spaß ist eine der besten Formen des „Seins". Spaß und Freude ähneln in vielerlei Hinsicht einem Gefühl des Fließens, wie es Menschen beim Musizieren oder Meditieren empfinden.

IN DER FREIZEIT MUSS ZEIT FÜR SPASS SEIN

Wenn Sie dem Spaß einen höheren Stellenwert in Ihrem Leben einräumen wollen, sollten Sie sich vor Augen führen, dass wir viele Freizeitaktivitäten nicht aus reinem Vergnügen absolvieren. Oft verbringen wir unsere gesamte Freizeit mit zielorientierten Aktivitäten, etwa einem Besuch im Fitnessstudio, um abzunehmen und die Fitness zu verbessern, das Gästezimmer auszumalen, um den Wert der Wohnung zu steigern oder einen Kurs zu besuchen, um die Berufsaussichten zu verbessern. Dies ist in Ordnung, doch stellt sich dadurch noch nicht jenes Hochgefühl ein, bei dem wir alles rund um uns vergessen. Sie können sich leicht selbst testen: Wenn Sie Ihre Motivation primär aus dem erwarteten Ergebnis ableiten, haben Sie wahrscheinlich keinen Spaß.

LERNEN SIE ZU LACHEN

Lachen ist gut für unser Gehirn und unsere Stimmung, es beseitigt Stress und Anspannung und verbindet die Menschen. Nehmen Sie sich vor, mit einem Lächeln durchs Leben zu gehen. Führen Sie sich in jeder Situation das Lustige daran vor Augen und lachen Sie darüber. Wenn alles schief geht, lachen Sie über Ihr Pech, anstatt verbittert oder verärgert zu reagieren.

Wenn Ihnen das Leben freudlos erscheint, fragen Sie sich nach dem Grund. Oft haben wir keinen Spaß, weil wir Angst haben, dumm zu wirken und uns zu blamieren. In diesem Fall sollten Sie schrittweise Ihre Hemmungen ablegen. Sie müssen nicht gleich ein anderer Mensch werden, doch Sie können versuchen, ein klein wenig über Ihren Schatten zu springen. Wenn Sie etwa aus Angst peinlich zu wirken, niemals Witze oder lustige Anekdoten erzählen, ändern Sie das heute.

ERLEBEN SIE EINE ZWEITE KINDHEIT

Kinder sind wahre Vergnügungsexperten. Vergleichen Sie einmal den typischen Tag eines Kindes mit dem eines Erwachsenen. Kinder wenden den Großteil ihrer Zeit für Spiele, Experimente und Scherze auf – sie haben einfach Spaß. Erwachsene hingegen erleben den Tag eher gestresst, verantwortungsbewusst und getrieben von all den noch zu erledigenden Aufgaben. Nehmen Sie sich die Kinder zum Vorbild und lassen Sie etwas Spaß in Ihren Alltag einfließen. Lernen Sie, etwas zu tun, das sich gut, aufregend oder lustig anfühlt!

Tun Sie jeden Tag etwas, das Ihnen einfach Spaß macht – das kann auch etwas Einfaches sein, wie einen Fremden anlächeln, im Park schaukeln, die Enten füttern oder Steine in einen Teich werfen. Lösen Sie sich von zielorientierten Aufgaben – nicht alles im Leben muss einen bestimmten Zweck haben.

Laufen Sie schnell den Hügel hinunter, springen Sie in den Swimmingpool, malen Sie ein lustiges Bild, und beziehen Sie Andere mit ein, indem Sie Gesellschaftsspiele mit Freunden veranstalten oder sich im Wasser gegenseitig anspritzen. Ideen dazu holen Sie sich am besten von Kindern!

DIESE REIHE VON QI GONG-BEWEGUNGEN IST EINE SANFTE METHODE, KÖRPER UND GEIST ZU ENTSPANNEN UND SICH DES INNEREN ENERGIEFLUSSES BE-WUSST ZU WERDEN.

1 Stellen Sie sich schulterbreit mit leicht nach außen zeigenden Füßen hin. Die Knie sind etwas gebeugt, Schultern und Arme hängen entspannt herab. Stellen Sie sich vor, dass Ihr Kopf nach oben gezogen wird, Ihre Füße nach unten Wurzeln schlagen und die Körpermitte schwebt. Dies ist die Wu Chi-Position.

2 (a) Atmen Sie aus und strecken Sie beide Arme in Schulterhöhe vor sich aus. Winkeln Sie die Ellbogen ab, sodass sich die Fingerspitzen fast berühren. (b) Heben Sie die Arme über den Kopf und drehen Sie dabei die Handflächen nach außen. Drücken Sie die Handflächen nach oben. Atmen Sie ein und senken Sie die Arme wieder. Wiederholen Sie die Schritte 2(a) und 2(b) je achtmal.

3 Nehmen Sie die Wu Chi-Position ein. Winkeln Sie die Ellbogen ab und heben Sie die Hände in Brusthöhe. Die linke Handfläche zeigt nach links, wobei Daumen, Ringfinger und kleiner Finger in die Handfläche drücken und Zeige- und Mittelfinger in die Höhe zeigen. Blicken Sie nach links. Heben Sie den rechten Ellbogen, als ob Sie Pfeil und Bogen halten würden. Winkeln Sie die Finger ab.

4 Atmen Sie aus und strecken Sie den rechten Ellbogen und den linken Arm so weit wie möglich von sich. Atmen Sie ein und bringen Sie die Arme wieder vor die Brust. Wiederholen Sie dies auf der anderen Seite. Absolvieren Sie vier Durchgänge pro Seite.

ENTSPANNENDE QI GONG-ÜBUNGSREIHE

1   Stellen Sie sich schulterbreit mit leicht nach außen zeigenden Füßen hin. Die Knie sind etwas gebeugt, Schultern und Arme hängen entspannt herab. Stellen Sie sich vor, dass Ihr Kopf nach oben gezogen wird, Ihre Füße nach unten Wurzeln schlagen und die Körpermitte schwebt. Dies ist die Wu Chi-Position.

2   (a) Atmen Sie aus und strecken Sie beide Arme in Schulterhöhe vor sich aus. Winkeln Sie die Ellbogen ab, sodass sich die Fingerspitzen fast berühren. (b) Heben Sie die Arme über den Kopf und drehen Sie dabei die Handflächen nach außen. Drücken Sie die Handflächen nach oben. Atmen Sie ein und senken Sie die Arme wieder. Wiederholen Sie die Schritte 2(a) und 2(b) je achtmal.

3   Nehmen Sie die Wu Chi-Position ein. Winkeln Sie die Ellbogen ab und heben Sie die Hände in Brusthöhe. Die linke Handfläche zeigt nach links, wobei Daumen, Ringfinger und kleiner Finger in die Handfläche drücken und Zeige- und Mittelfinger in die Höhe zeigen. Blicken Sie nach links. Heben Sie den rechten Ellbogen, als ob Sie Pfeil und Bogen halten würden. Winkeln Sie die Finger ab.

4   Atmen Sie aus und strecken Sie den rechten Ellbogen und den linken Arm so weit wie möglich von sich. Atmen Sie ein und bringen Sie die Arme wieder vor die Brust. Wiederholen Sie dies auf der anderen Seite. Absolvieren Sie vier Durchgänge pro Seite.

5   (a) Nehmen Sie die Wu Chi-Position ein. Winkeln Sie die Ellbogen ab und heben Sie die Hände in Brusthöhe. Drehen Sie den rechten Arm so, dass die Handfläche nach außen und die Finger nach links zeigen. Nun drehen Sie den linken Arm so, dass die Handfläche nach unten und die Finger nach rechts zeigen. (b) Atmen Sie aus und drücken Sie die rechte Handfläche nach oben und die linke nach unten. Atmen Sie ein und führen Sie die Hände zurück zur Brust. Machen Sie diese Übung viermal auf jeder Seite.

6   Heben Sie in der Wu Chi-Position die Arme und beschreiben Sie vor der Brust einen Kreis. Die Handflächen zeigen nach innen und die Fingerspitzen berühren sich. Atmen Sie aus, drehen Sie sich aus der Hüfte nach links und führen Sie die Arme in Augenhöhe. Atmen Sie ein, drehen Sie sich nach vorne und senken Sie die Hände. Führen Sie diese Bewegungen viermal auf jeder Seite aus.

7   (a) Drehen Sie in der Wu Chi-Position die Arme seitlich, während der ganze Körper von links nach rechts schwingt. Tippen Sie dabei mit dem linken Handrücken leicht auf Ihre rechte Niere und mit der rechten Handfläche auf die linke Bauchseite. Wiederholen Sie dies viermal auf jeder Seite. (b) In der Wu Chi-Position legen Sie die Handrücken auf den Rücken oberhalb der Nieren. Beugen und strecken Sie die Knie und lassen Sie sich dabei von den Händen den Rücken massieren. Wiederholen Sie dies achtmal.

5 (a) Nehmen Sie die Wu Chi-Position ein. Winkeln Sie die Ellbogen ab und heben Sie die Hände in Brusthöhe. Drehen Sie den rechten Arm so, dass die Handfläche nach außen und die Finger nach links zeigen. Nun drehen Sie den linken Arm so, dass die Handfläche nach unten und die Finger nach rechts zeigen. (b) Atmen Sie aus und drücken Sie die rechte Handfläche nach oben und die linke nach unten. Atmen Sie ein und führen Sie die Hände zurück zur Brust. Machen Sie diese Übung viermal auf jeder Seite.

6 Heben Sie in der Wu Chi-Position die Arme und beschreiben Sie vor der Brust einen Kreis. Die Handflächen zeigen nach innen und die Fingerspitzen berühren sich. Atmen Sie aus, drehen Sie sich aus der Hüfte nach links und führen Sie die Arme in Augenhöhe. Atmen Sie ein, drehen Sie sich nach vorne und senken Sie die Hände. Führen Sie diese Bewegungen viermal auf jeder Seite aus.

7 (a) Drehen Sie in der Wu Chi-Position die Arme seitlich, während der ganze Körper von links nach rechts schwingt. Tippen Sie dabei mit dem linken Handrücken leicht auf Ihre rechte Niere und mit der rechten Handfläche auf die linke Bauchseite. Wiederholen Sie dies viermal auf jeder Seite. (b) In der Wu Chi-Position legen Sie die Handrücken auf den Rücken oberhalb der Nieren. Beugen und strecken Sie die Knie und lassen Sie sich dabei von den Händen den Rücken massieren. Wiederholen Sie dies achtmal.

„Der Geist ist wie der Reiter, der Körper wie das Pferd." Buddhistische Weisheit

INSPIRATION AUS DER NATUR

Die Natur hat eine beruhigende Wirkung auf den Geist. Einfache Freuden wie das Einatmen frischer Luft, das Spüren der Sonne auf der Haut und das Betrachten einer schönen Landschaft sind äußerst wohltuend. Allein die Weite der Natur relativiert die menschlichen Probleme. Denken Sie an die Kraft des Ozeans oder eines Bergs. Viele Yoga-Stellungen ahmen solche Eigenschaften der Natur nach – Standpositionen wie die „Berghaltung" (siehe Seite 44) lehren uns, wie wichtig es ist, verwurzelt zu sein. Die

Natur stellt ein Gegengewicht zur modernen Welt dar, in der wir von künstlichen Dingen wie Computern und Fernsehern umgeben sind. Die Natur setzt den Geist frei und gibt uns das Gefühl der Verbundenheit mit dem Universum.

Verbringen Sie möglichst viel Zeit in einer natürlichen Umgebung – legen Sie sich ins Gras und sehen Sie den Wolken zu, gehen Sie in der Nacht an den Strand und nehmen Sie dabei das Meeresrauschen wahr. Auch in der Stadt können Sie die

Jahreszeiten bewusst wahrnehmen – beobachten Sie die Bäume oder eine Pflanze, die Sie aus einem Samen gezüchtet haben.

Es gibt viele Möglichkeiten, der Natur näher zu kommen. Montieren Sie ein Vogelhäuschen vor dem Fenster oder stellen Sie Steine und Pflanzen an Ihrem Arbeitsplatz (siehe Seite 38) auf. Sie können sich mithilfe von Steinen, Muscheln, Holz, einem Brunnen oder einer Statue auch Ihr eigenes Refugium schaffen.

VERBRINGEN SIE ZEIT IN DER NATUR

Eine friedliche Beschäftigung in der Natur ist eine Yoga-Übung namens *Trataka*. Es handelt sich dabei um eine Reinigungsübung für die Augen, die einen meditativen Zustand fördert. Nehmen Sie eine Meditationshaltung ein (siehe Seiten 78-81) und wählen Sie ein statisches Objekt in der Natur – eine Blume, einen Baum, Felsen oder einen entfernten Berggipfel in Augenhöhe. Konzentrieren Sie sich mit geöffneten Augen darauf, ohne zu zwinkern, bis Ihre Augen zu tränen beginnen. Schließen Sie nun die Augen und visualisieren Sie das Objekt vor Ihrem geistigen Auge. Öffnen Sie die Augen wieder und fixieren Sie das Objekt. Wiederholen Sie dies einige Minuten lang.

DIE WEISHEITEN DES BUDDHISMUS BASIEREN VIELFACH AUF PRINZIPIEN DER NATUR:

In der Natur gibt es keine Ziele und keinen Ehrgeiz. Das Leben der Pflanzen und Tiere hat keine konkrete Bestimmung. Ihr einziger Zweck ist das „Sein".

Die Natur bietet hervorragende Beispiele des „Nichtstuns": der Tag folgt auf die Nacht, Bäume entwickeln Knospen, Blätter und Blüten, tragen Früchte und verlieren ihre Blätter, um dann wieder in die Ruhephase überzugehen. Ruhe ist ebenso wichtig wie Aktivität.

Das menschliche Leben ist Teil des Ganzen, des Lebens der Umwelt. Die Natur gibt uns Nahrung, Wohnraum und alles Lebensnotwendige.

In der Natur gibt es keinen Zeitdruck. Jeder Organismus folgt seinem eigenen Rhythmus. Es gibt kein „zu langsam" oder „zu schnell".

Die Natur ist verspielt, unvorhersehbar, unbezwingbar. Wirbelstürme, Vulkane und Erdbeben sind nicht gut oder schlecht, sie „sind" ganz einfach.

FRIEDE DURCH MEDITATION

Meditation ist eines der Kernstücke der meisten fernöstlichen spirituellen Praktiken, doch im Westen meditieren viele Leute heute einfach zur Entspannung. In der westlichen Medizin ist Meditation als Methode zum Stressabbau, Senken des Blutdrucks und Verbessern des Wohlbefindens allgemein anerkannt. Aus welchem Grund Sie auch meditieren, das Ergebnis wird immer das gleiche sein – mehr innerer Frieden, mehr Gelassenheit und Harmonie mit der Welt um Sie herum.

Bei der Meditation kehrt eine solche Ruhe im Geist ein, dass die normalerweise ablaufenden Gedanken unterbunden werden. Dieses Hintergrundgeplapper wird durch einen Zustand ungebrochenen Bewusstseins ersetzt, in dem Sie einfach dem Fluss des Lebens folgen.

Oft beginnt Meditation mit kurzen Momenten der Konzentration, die manchmal als „Lücken zwischen den Gedanken" beschrieben werden. Stellen Sie sich die Gedanken als Wellen vor, und Ihr Ziel ist es, die Pause zwischen den einzelnen Wellen zusehends zu verlängern, ohne bei der nächsten Welle weggespült zu werden. Es gibt drei weit verbreitete Methoden – Atem-Meditation, Mantra-Meditation und Objekt-Meditation wie etwa die Konzentration auf die Flamme einer Kerze oder auf ein Mandala oder Yantra. Solche visuellen Symbole repräsentieren das Universum. Die Atmung, das Objekt oder das Mantra dienen lediglich als Konzentrationshilfen.

ATEM-MEDITATION

Während der Meditation konzentrieren Sie sich auf den Rhythmus zwischen Ein- und Ausatmen, ohne die Atmung dabei zu verändern. Atmen Sie durch die Nase und konzentrieren Sie sich auf das Gefühl in den Nasenlöchern beim Eintritt der Luft. Wenn Ihre Gedanken abschweifen, führen Sie diese wieder zurück. Zählen Sie zur Unterstützung eventuell die Atemzüge (siehe Seite 30).

MANTRA-MEDITATION

Wiederholte Klangfolgen oder Mantras erleichtern die Meditation. Die Silbe „OM" ist ein heiliges Mantra, das im Hinduismus als Geräusch des Universums gilt. Verwenden Sie dieses oder ein eigenes Mantra wie etwa „Friede" oder „Liebe" – was auch immer für Sie eine Bedeutung hat. Wiederholen Sie das Mantra laut und konzentrieren Sie sich auf die Vibration des Tons in Ihrem Geist,

Ihrem Körper und in Ihrer Seele. Wenn Ihre Gedanken abschweifen, lenken Sie diese wieder auf die rhythmischen Laute.

MEDITIEREN MITHILFE EINES OBJEKTS

Die eingehende Betrachtung eines Objekts hilft, sich nach innen zu kehren und die für die Meditation erforderliche geistige Verfassung zu erlangen. Sie können dazu jedes beliebige Objekt verwenden – es muss keine Kerze oder ein spirituelles Symbol sein, aber es sollte eine klare Form haben. Statt über das Objekt nachzudenken, sollten Sie versuchen, seine Form, Farbe oder Musterung zu verinnerlichen.

ERSTE SCHRITTE

Mit etwas Übung kann man an jedem Ort und zu jeder Zeit meditieren. Doch anfangs sollten Sie einige Richtlinien berücksichtigen. Suchen Sie sich ein friedliches Plätzchen, etwa das Schlafzimmer oder einen ruhigen Park. Nehmen Sie eine angenehme Sitzposition ein, denn wenn Sie sich nicht wohl fühlen, kann der Körper Sie ablenken. Konzentrieren Sie sich auf die Atmung, das Mantra oder Objekt. Wenn Ihre Gedanken abschweifen, lenken Sie diese ruhig

auf das Wesentliche zurück. Wie oft dies auch passiert, sagen Sie sich immer, dass Sie die Aufmerksamkeit auf einen einzigen Punkt lenken können. Üben Sie jeweils 10–15 Minuten.

SITZPOSITIONEN

Während der Meditation sollten Sie entspannt (aber nicht schläfrig) sein und in aufrechter Haltung auf dem Boden sitzen. Sie können auch auf einem Stuhl mit gerader Lehne Platz nehmen und die Hände in den Schoß legen (siehe Seiten 44/45). Ebenso können Sie auch den Schneidersitz oder eine der folgenden Positionen wählen. Legen Sie die Hände locker auf die Knie und bilden Sie eventuell mit Daumen und Zeigefinger einen Kreis. Wenn Sie sich im Lotussitz wohl fühlen (gegenüberliegende Abbildung), ist dies die ideale Haltung, da der Körper dabei in einem perfekten Gleichgewicht ist, doch diese Haltung erfordert eine besondere Gelenkigkeit. Setzen Sie sich mit ausgestreckten Beinen auf den Boden. Biegen Sie das linke Knie ab und legen Sie die Ferse des linken Fußes mit der Fußsohle nach oben auf den rechten Oberschenkel. Winkeln Sie nun das rechte Knie an und legen Sie den rechten Fuß mit der Sohle nach oben auf den linken Oberschenkel.

Eine einfachere Version davon ist der halbe Lotussitz. Setzen Sie sich dazu mit gestreckten Beinen auf den Boden. Biegen Sie das linke Knie ab und ziehen Sie die linke Ferse zum Körper. Legen Sie das abgewinkelte rechte Bein mit der Sohle nach oben auf den linken Schenkel. Wechseln Sie das obere Bein bei jeder Meditationseinheit. Noch einfacher ist der Burmesische Sitz (Abb. rechts), bei dem Sie mit gestreckten Beinen auf dem Boden sitzen. Überkreuzen Sie den rechten Fuß vor dem Körper und legen Sie den linken Fuß vor den rechten, sodass die Fersen zusammenstoßen.

ENTSPANNEN DURCH ATMUNG

Wir haben bereits von der entspannenden Wirkung der Atmung gehört. Da die Atmung eines der besten Werkzeuge zur Regulierung unserer geistigen Verfassung ist, sollten wir uns überlegen, wie uns Atemübungen zu einer physischen und emotionalen Ruhe verhelfen können, die uns das ganze Leben begleitet. Durch eine geänderte Atmung können wir Herzfrequenz und Blutdruck senken. Dies fördert die Entspannung und verringert die Belastung des stressanfälligen Herz-Kreislauf-Systems.

In den fernöstlichen Traditionen ist das tiefe Atmen entscheidend für das geistige, körperliche und spirituelle Wohlbefinden. Eine der zentralen Techniken im Yoga ist die kontrollierte Atmung, *Pranayama*. Die folgenden Atemübungen basieren auf dieser Technik und dienen der Entspannung. Um die Wirkung zu erhöhen, stellen Sie sich beim Ausatmen vor, dass Ihr ganzer Stress und all Ihre Ängste dahinschmelzen.

Zwischen Gehirn und Atmung gibt es eine Rückkoppelung. Wenn Sie aufgeregt, wütend oder ängstlich sind, geht die Atmung kurz und stoßartig, und es gelangt nur wenig Luft in die Lunge. Wenn Sie hingegen entspannt sind, atmen Sie langsam und tief und versorgen die Lunge mit reichlich Sauerstoff. Die folgende Übung soll Ihnen den Zusammenhang zwischen Gefühlslage und Atmung vor Augen führen. Probieren Sie die Übungen in den unterschiedlichsten Verfassungen aus.

Wenn Sie noch keine Erfahrung mit Atemübungen gemacht haben, beginnen Sie sanft, um die Muskeln der Atmungsorgane allmählich stärker und geschmeidiger zu machen. Die goldene Regel lautet: „Flüssige Atmung". Wenn Ihnen während der Übung die Luft wegbleibt oder Lungenbeschwerden auftreten, sollten Sie die Übungsintensität etwas drosseln.

BEOBACHTEN SIE IHRE ATMUNG

Nehmen Sie den Schneidersitz oder eine andere Meditationshaltung ein (siehe Seiten 80/81) und beobachten Sie Ihre Atmung. Wie fühlt sie sich an? Langsam und gleichmäßig oder unregelmäßig – oder etwas dazwischen? Legen Sie eine Hand auf den Bauch und die andere auf die Brust und beobachten Sie, welche Körperteile sich beim Einatmen heben. Vergleichen Sie das Einatmen mit dem Ausatmen – dauert beides gleich lange? Auf diese Art lernen Sie, sich Ihrer Atmung bewusst zu werden und die Atmung zu steuern, um Entspannung zu finden.

„Versuche, nicht zu kämpfen,
sondern einfach nur zu ‚sein‘.
Begegne Unfreundlichkeit mit
Mitgefühl." Tao Te Ching

Am entspannendsten ist das tiefe Einatmen – die so genannte Bauchatmung oder auch Qi Gong- oder *Dantien*-Atmung (siehe Seite 24). Obwohl die Luft nicht wirklich bis in den Bauch vordringt, so gelangt sie doch in den gesamten Lungenbereich und drückt dabei das Zwerchfell hinunter und den Bauch nach außen.

BAUCHATMUNG

Zum Üben der Bauchatmung setzen Sie sich wie vorher beschrieben hin, legen eine Hand auf die Brust und die andere auf den Bauch. Atmen Sie ein paar Mal normal, dann atmen Sie tief durch die Nase ein. Die Luft soll bis tief in die Lunge gelangen. Spüren Sie, wie sich das Zwerchfell nach unten und der Bauch nach außen bewegt und Ihre Hand nach außen drängt und dann wieder in die urspüngliche Position zurückkehrt. Wiederholen Sie dies, sooft Sie wollen.

Alternativ können Sie sich flach am Rücken auf den Boden legen, die Beine leicht spreizen und die Hände mit den Handflächen nach oben vom Körper wegstrecken. Legen Sie sich ein Buch auf den Bauch direkt unter den Nabel und atmen Sie nun tief bis in den Bauch ein, sodass das Buch sich bei jedem Atemzug

hebt und dann wieder senkt. Wenn Ihnen schwindlig wird, atmen Sie wieder normal und probieren Sie die Übung ein anderes Mal erneut. Bei regelmäßiger Übung werden Ihre Atmungsorgane bald stark und elastisch werden und keine Schwindelgefühle mehr auftreten. Sie werden feststellen, dass Ihnen diese tiefe Atmung zu Gelassenheit und Ruhe verhilft.

Idealerweise sollten Sie immer tief atmen, wie Sie das auch als Kind getan haben. Im Gegensatz zu der flachen Brustatmung können Sie mit der Bauchatmung Vitalität, Wohlbefinden und Entspannung fördern. Achten Sie verstärkt auf Ihre Atmung und bemühen Sie sich bewusst um die Bauchatmung.

PRANA-ATMUNG

Die *Prana*-Atmung kann man am besten als „Bauchatmung mit Visualisierung" beschreiben. Stellen Sie sich beim Ein- und Ausatmen vor, dass die Lebensenergie *Prana* jeden Teil Ihres Körpers erfasst. Vielleicht hilft es Ihnen, sich aufrecht hinzustellen und sich *Prana* als farbige Luft, die Sie durch die Schuhsohlen einatmen, vorzustellen. Dabei gelangt die farbige Luft mit jedem Atemzug weiter in den Körper und verteilt sich in allen Zellen.

Mit dieser Übung können Sie Verspannungen in bestimmten Körperteilen lösen, da Sie mithilfe der Vorstellungskraft den Atem in den jeweiligen Bereich lenken. Stellen Sie sich vor, dass mit jedem Einatmen Wärme und heilende Kräfte in diesen Körperteil gesendet werden und bei jedem Ausatmen die Schmerzen und Verspannungen leichter werden. Mit etwas Übung wird es Ihnen auf diese Art auch gelingen, weit von der Lunge entfernte Körperteile wie etwa die Beine oder den Kopf mit Luft zu versorgen.

VERLÄNGERN DER ATEMZÜGE

Sie können die Bauchatmung mit einer Entspannungstechnik kombinieren, die man als Verlängern der Atmung bezeichnet. Bei *Pranayama* wird die Atmung in drei Stufen untergliedert: Einatmen (*Puraka*), Anhalten des Atems (*Kumbhaka*) und Ausatmen (*Rechaka*). Jede dieser Stufen wird mit bestimmten Eigenschaften verbunden: Das Einatmen sorgt für Vitalität und Energie, das Anhalten der Luft vor dem Ausatmen ermöglicht den freien Energiefluss rund um den Körper, und das Ausatmen bringt Entspannung und Reinigung. Je länger Sie ausatmen, desto größer die Entspannung, denn die Ausdehnung der Ausatmungsphase beruhigt den Geist, reinigt den Körper und transportiert die schlechte Luft gänzlich aus der Lunge. Je vollständiger Sie ausatmen, desto größer die Lungenausdehnung und die Sauerstoffzufuhr beim nächsten Einatmen.

Atmen Sie anfangs gezielt länger aus als ein. Wenn dabei die Hand auf dem Bauch liegt, werden Sie spüren, wie sich das Zwerchfell nach oben bewegt. Sobald Sie das beherrschen, versuchen Sie nach jedem Ausatmen kurz die Luft anzuhalten. Vermeiden Sie diese Übung bei Bluthochdruck, Lungen- oder Herzproblemen sowie in der Schwangerschaft.

Kombinieren Sie diese Schritte nun im Rhythmus 1:1:2. Atmen Sie etwa ein während Sie bis vier zählen, halten Sie die Luft an, während Sie erneut bis vier zählen, und zählen Sie beim Ausatmen bis acht.

Statt zu zählen, können Sie auch leise die Worte *Puraka*, *Kumbhaka* und *Rechaka* wiederholen. Sagen Sie die ersten beiden Worte je einmal zum Einatmen und Luft anhalten und das letzte Wort zum Ausatmen zweimal. Die Atmung nach einem bestimmten Rhythmus mag Ihnen anfangs schwierig erscheinen. Konzentrieren Sie sich einfach darauf, länger aus- als einzuatmen.

SELBSTMASSAGE

Massage ist eine gute Methode, um nach einem stressreichen Tag körperliche Entspannung zu finden – man knetet die Verspannungen einfach aus den Muskeln heraus. Sobald Ihr Körper entspannt ist, kann sich auch Ihr Geist entspannen. Verspannungen treten zumeist im Schulter- und Nackenbereich sowie im Kiefer und an den Schläfen auf. Finden Sie heraus, welche Technik Ihnen am meisten liegt. Mithilfe der Fingerspitzen, Knöchel oder Handrücken führen Sie kreisförmige Bewegungen aus, kneten oder drücken. Lernen Sie den Unterschied zwischen Reiben und Streichen: Beim Reiben üben Sie einen mittelstarken Druck aus, um die Haut über den darunter liegenden Muskeln zu verschieben, während Sie beim Streichen die Hände mit leichtem Druck über die Haut gleiten lassen.

Besonders entspannend ist eine langsame Selbstmassage mit gleichzeitiger Visualisierung (siehe Seite 158). Versuchen Sie, sich täglich eine halbe Stunde an einem friedlichen Platz Zeit für sich selbst zu nehmen. Sobald Sie völlig entspannt sind, öffnen Sie die Augen und beginnen mit der Selbstmassage.

MASSAGE DER SCHULTERN (Abb. links)

Greifen Sie mit dem Arm über die gegenüberliegende Schulter und massieren Sie die Muskeln bis zum Oberarmansatz mit festen, kreisenden Bewegungen der Fingerspitzen. Konzentrieren Sie sich auf die verhärteten Stellen. Wiederholen Sie dies auf der anderen Schulter.

MASSAGE DES NACKENS (Abb. rechts)

Legen Sie die Fingerspitzen auf die gegenüberliegende Seite des Nackens. Üben Sie einen statischen oder kreisenden Druck auf die Muskeln aus – vom Nacken bis zur Schädelbasis und wieder zurück.

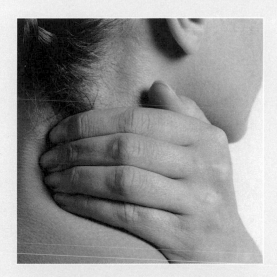

KIEFERMASSAGE (Abb. links)

Um die Kiefermuskeln zu finden, legen Sie die Hände auf die Wangen und öffnen Sie den Mund weit, um deren Bewegung zu spüren. Drücken Sie mit den Fingerspitzen in die Kiefermuskulatur und machen Sie große, kreisförmige Bewegungen in beide Richtungen.

SCHLÄFENMASSAGE (Abb. rechts)

Legen Sie Zeige- und Mittelfinger auf die Schläfen und üben Sie mit langsam kreisenden Bewegungen in beide Richtungen mittelstarken Druck aus.

„Es gibt nur eine Reise –
jene in unser Innerstes."

Rainer Maria Rilke

BEWEGUNG UND RUHE

Viele Menschen denken beim Wort „Entspannen" oder „Relaxen" an ruhiges Sitzen oder Liegen, etwa vor dem Fernseher, im Garten oder an einem See. Doch eine tiefe Entspannung erreicht man am besten durch Bewegung, da das Dehnen der Muskeln die Anspannung löst. Dann können wir uns nach innen kehren und von der hektischen Außenwelt abwenden. Die auf den Seiten 92 und 93 beschriebenen Yoga-Übungen bewirken eine Entspannung der Muskeln. Denken Sie dabei auch an all die anderen Techniken, die Sie in diesem Kapitel gelernt haben. Konzentrieren Sie sich auf die Bewegungen und Ihre Atmung, und nützen Sie Visualisierungstechniken, um zu spüren, wie die Anspannung von Ihnen abfällt.

SPANNUNGSABBAU DURCH VERSCHIEDENE HALTUNGEN

Wärmen Sie sich zunächst mit einigen Durchgängen der Geschmeidigkeitsübungen auf den Seiten 52–55 auf. Überanstrengen Sie sich dabei aber nicht, denn Sie sollen nicht Kraft anwenden, sondern Verspannungen lösen. Halten Sie jede Stellung so lange, wie es Ihnen angenehm ist – nach Möglichkeit mindestens zwei bis drei Minuten. Die abschließende Ruheposition können Sie so lange halten, wie Sie möchten. Man nennt sie „Totenstellung", da der Körper dabei ruhig und still wie eine Leiche verharrt. Dies ist die klassische Entspannungshaltung im Yoga, und da Sie sich nicht bewegen, können Sie Ihren Geist aufmerksam beobachten. Hören Sie Ihren Gedanken zu – sind sie friedlich, ruhelos, aufgeregt oder schwerfällig? Versuchen Sie, sich ein klares Bild davon zu machen, wie Sie sich fühlen, ohne sich dabei von diesen Gefühlen übermannen zu lassen.

Atmen Sie tief und gleichmäßig durch die Nase. Beobachten Sie, wie sich der Bauch beim Einatmen hebt und beim Ausatmen wieder senkt. Lassen Sie den Atem in seinem eigenen Rhythmus fließen. Konzentrieren Sie sich ganz auf die Atmung, um mentale Ruhe zu finden. Sagen Sie sich: „Ich weiß, dass ich einatme, ich weiß, dass ich ausatme."

Lenken Sie Ihre Aufmerksamkeit beim Entspannen auf die verspannten Stellen in ihrem Körper. Normalerweise wird es sich dabei um Gesicht, Kiefer, Nacken, Schulter oder Rücken handeln. Stellen Sie sich beim Ausatmen jedes Mal vor, dass die Spannung verfliegt oder dahinschmilzt.

YOGA-STELLUNGEN LÖSEN MUSKELVERSPANNUNGEN UND SORGEN DURCH BEWEGUNG DER MUSKELN FÜR ENTSPANNUNG. ÜBEN SIE DIESE ABFOLGE JEDEN TAG.

1 Stellen Sie sich mit weit geöffneten Beinen hin. Stellen Sie den rechten Fuß leicht einwärts und den linken im rechten Winkel nach außen. Drehen Sie den Körper in der Hüfte, sodass Sie in Richtung des linken Fußes blicken. Führen Sie die zuvor seitlich herabhängenden Arme nun zusammen und über den Kopf, wobei sich die Handflächen berühren.

2 Beugen Sie das linke Knie, sodass es sich direkt über dem linken Knöchel befindet und die Wade senkrecht steht. Blicken Sie hinauf zu den Handflächen und atmen Sie tief. Kommen Sie langsam aus der Haltung zurück und wiederholen Sie die Übung auf der anderen Seite.

3 Stellen Sie sich mit geschlossenen Beinen hin. Heben Sie die Arme in Verlängerung der Ohren und legen Sie die Handflächen aufeinander. Blicken Sie zu den Händen und beugen Sie die Beine, als ob Sie sich setzen würden. Spannen Sie dabei die Becken- und Bauchmuskeln an. Kehren Sie in den Stand zurück.

4 (a) Knien Sie sich auf dem Boden auf allen Vieren hin. Der Rücken befindet sich parallel zum Boden und der Hals bildet mit dem Rücken eine Linie. Atmen Sie ein, bilden Sie ein Hohlkreuz und heben Sie den Kopf und das Steißbein so hoch es geht. (b) Beim Ausatmen bilden Sie einen Rundrücken und nehmen den Kopf zwischen die Arme. Ziehen Sie dabei Bauch und Steißbein ein.

ENTSPANNENDE YOGA-ÜBUNGSREIHE

1 Stellen Sie sich mit weit geöffneten Beinen hin. Stellen Sie den rechten Fuß leicht einwärts und den linken im rechten Winkel nach außen. Drehen Sie den Körper in der Hüfte, sodass Sie in Richtung des linken Fußes blicken. Führen Sie die zuvor seitlich herabhängenden Arme nun zusammen und über den Kopf, wobei sich die Handflächen berühren.

2 Beugen Sie das linke Knie, sodass es sich direkt über dem linken Knöchel befindet und die Wade senkrecht steht. Blicken Sie hinauf zu den Handflächen und atmen Sie tief. Kommen Sie langsam aus der Haltung zurück und wiederholen Sie die Übung auf der anderen Seite.

3 Stellen Sie sich mit geschlossenen Beinen hin. Heben Sie die Arme in Verlängerung der Ohren und legen Sie die Handflächen aufeinander. Blicken Sie zu den Händen und beugen Sie die Beine, als ob Sie sich setzen würden. Spannen Sie dabei die Becken- und Bauchmuskeln an. Kehren Sie in den Stand zurück.

4 (a) Knien Sie sich auf dem Boden auf allen Vieren hin. Der Rücken befindet sich parallel zum Boden und der Hals bildet mit dem Rücken eine Linie. Atmen Sie ein, bilden Sie ein Hohlkreuz und heben Sie den Kopf und das Steißbein so hoch es geht. (b) Beim Ausatmen bilden Sie einen Rundrücken und nehmen den Kopf zwischen die Arme. Ziehen Sie dabei Bauch und Steißbein ein.

5 In einer Knieposition senken Sie langsam Kopf und Oberkörper zum Boden. Legen Sie Arme und Hände mit den Handflächen nach oben neben den Körper. Entspannen Sie den Körper in dieser Stellung vollständig.

6 Setzen Sie sich mit ausgestreckten Beinen und abgewinkelten Füßen auf den Boden. Führen Sie die Arme über den Kopf und machen Sie den Rücken lang. Beugen Sie sich mit geradem Rücken in der Hüfte so weit wie möglich nach vorne und umfassen Sie die Füße. Machen Sie die Wirbelsäule bei jedem Einatmen noch länger und führen Sie den Körper beim Ausatmen immer weiter zu den Beinen.

7 Legen Sie sich mit angewinkelten Knien und geradeaus zeigenden Füßen auf den Rücken. Heben Sie nun Hüften und Wirbelsäule vom Boden ab und unterstützen Sie das Becken dabei mit den Händen. Drücken Sie die Brust hoch. Öffnen Sie dabei jedoch nicht die Knie.

8 Legen Sie sich mit zur Brust gezogenen Knien auf den Boden. Die Arme sind seitlich weggestreckt. Senken Sie die Knie rechts auf den Boden und drehen Sie den Kopf nach links. Verharren Sie einige Atemzüge lang in dieser Stellung. Wiederholen Sie dies nun auf der anderen Seite. Zum Abschluss legen Sie sich flach auf den Rücken – Beine leicht geöffnet, Hände mit den Handflächen nach oben neben dem Körper. Das ist die so genannte Totenstellung. Schließen Sie die Augen und konzentrieren Sie sich auf die Atmung.

5 In einer Knieposition senken Sie langsam Kopf und Oberkörper zum Boden. Legen Sie Arme und Hände mit den Handflächen nach oben neben den Körper. Entspannen Sie den Körper in dieser Stellung vollständig.

6 Setzen Sie sich mit ausgestreckten Beinen und abgewinkelten Füßen auf den Boden. Führen Sie die Arme über den Kopf und machen Sie den Rücken lang. Beugen Sie sich mit geradem Rücken in der Hüfte so weit wie möglich nach vorne und umfassen Sie die Füße. Machen Sie die Wirbelsäule bei jedem Einatmen noch länger und führen Sie den Körper beim Ausatmen immer weiter zu den Beinen.

7 Legen Sie sich mit angewinkelten Knien und geradeaus zeigenden Füßen auf den Rücken. Heben Sie nun Hüften und Wirbelsäule vom Boden ab und unterstützen Sie das Becken dabei mit den Händen. Drücken Sie die Brust hoch. Öffnen Sie dabei jedoch nicht die Knie.

8 Legen Sie sich mit zur Brust gezogenen Knien auf den Boden. Die Arme sind seitlich weggestreckt. Senken Sie die Knie rechts auf den Boden und drehen Sie den Kopf nach links. Verharren Sie einige Atemzüge lang in dieser Stellung. Wiederholen Sie dies nun auf der anderen Seite. Zum Abschluss legen Sie sich flach auf den Rücken – Beine leicht geöffnet, Hände mit den Handflächen nach oben neben dem Körper. Das ist die so genannte Totenstellung. Schließen Sie die Augen und konzentrieren Sie sich auf die Atmung.

„Lege dich auf den Boden wie eine Leiche, das vertreibt die Müdigkeit und verhilft dem Geist zu Ruhe."

Hatha Yoga Pradipika

ESSEN & TRINKEN

In den fernöstlichen Kulturen ist es allgemein anerkannt, dass Gesundheit und Wohlbefinden auf einer ausgewogenen Kost basieren, die man in aller Ruhe zu sich nehmen soll. Im Westen dominieren jedoch kalorienreiche und ungesunde Fertigprodukte, die häufig ernährungsbedingte Erkrankungen nach sich ziehen.

Dieses Kapitel bietet Vorschläge für eine gesündere Ernährung und befasst sich mit der Frage, wie wir mit einem gesteigerten Bewusstsein und Yoga unsere Essgewohnheiten und unsere Verdauung verbessern können.

GESUNDE ERNÄHRUNG

Ernährungsexperten meinen, dass die für eine dauerhafte Gesundheit erforderliche Ernährung auf nicht raffinierten komplexen Kohlehydraten (stärkehältigen Lebensmitteln) und frischem Obst und Gemüse basiert. Doch die westliche Kost besteht zu einem Großteil aus behandelten Lebensmitteln mit Zucker- und Salzzusätzen (siehe Seite 102) und gesättigten Fettsäuren, die kaum Ballaststoffe, pflanzliche Fette, Vitamine und Mineralstoffe enthalten. Nicht zuletzt darauf sind Fettleibigkeit, Diabetes, Krebs-, Herz- und Darmerkrankungen zurückzuführen.

In den fernöstlichen Kulturen dominieren kohlehydratreiche Lebensmittel wie Reis, Linsen und Soja (siehe Seite 104). Das Volk der Hunza aus Kaschmir – bekannt für Langlebigkeit und Gesundheit – ernährt sich von Vollkornprodukten, frischem Obst und Gemüse, Ziegenmilch und Quellwasser. Zudem sind frische und natürliche Lebensmittel und geringer Fleischkonsum ratsam.

ESSEN SIE NATURBELASSENE LEBENSMITTEL

Ernähren Sie sich nach Möglichkeit von biologischen Lebensmitteln wie dem nähr- und ballaststoffreichen Vollkornbrot und -mehl und braunem Reis. Verzichten Sie auf Imbisse wie Süßigkeiten, Fertigprodukte und Fast Food. Wenn Sie gerne Süßes essen, backen Sie Kekse und Kuchen aus Vollkornmehl und verwenden Sie Honig zum Süßen. Nehmen Sie viel Flüssigkeit zu sich, z. B. Quellwasser (siehe Seite 118), frische Fruchtsäfte (siehe Seite 122) oder Kräutertees.

ESSEN SIE NUR FRISCHE LEBENSMITTEL

Verwenden Sie nach Möglichkeit nur frische Zutaten. Die Yoga-Lehre besagt, dass frisch geerntete Lebensmittel die meiste Lebensenergie (*Prana*) aufweisen. Wenn Sie die Produkte nicht selbst anbauen können, essen Sie nur jene Dinge, die frisch aussehen, riechen und schmecken, und verzichten Sie auf abgepackte, salzhaltige oder behandelte Zutaten. Wertvolle Nährstoffe, darunter Enzyme, phytochemische Substanzen und antioxidierende Vitamine (die Krankheiten vorbeugen) werden beim Kochen verringert oder zerstört, sodass es ratsam ist, häufig frische Nahrungsmittel zu sich zu nehmen, etwa Obst und Gemüse wie Äpfel, Aprikosen, Beeren, Zitrusfrüchte, Trauben, Birnen, Möhren, Sellerie, Radieschen, Paprika, Spinat, Tomaten und Kresse.

ESSEN SIE WENIGER FLEISCH

Es ist ein Mythos, dass man Fleisch essen muss, um dem Körper ausreichend Proteine zuzuführen. Auch eine fleischarme oder fleischlose Kost bietet ausreichend Proteine. Beispiele dafür sind die Kombination aus Linsen und Reis (etwa das indische *Khichuri* von Seite 103) oder Tofu, Bohnen, Samen und Nüsse. Zahlreiche Gründe sprechen dafür, sich vorrangig von pflanzlichen Nahrungsmitteln zu ernähren. Fleisch kann gesättigte Fettsäuren enthalten und Herzerkrankungen fördern. Pflanzliche Nahrungsmittel hingegen haben einen geringen Anteil an gesättigten Fettsäuren und enthalten viele Vitamine, Mineralstoffe und komplexe Kohlehydrate.

Die Yoga-Lehre meint dazu, dass pflanzliche Nahrungsmittel lebensverlängernd wirken, da sie direkt von der Sonne genährt werden, der Energiequelle des gesamten Universums (siehe Seite 98). Daher können wir diese Energie optimal umsetzen, während Fleisch nur Energie aus dritter Hand darstellt.

Wenn Sie auf Fleisch und Fisch verzichten, sollten Sie eine Vielzahl an proteinhaltigen pflanzlichen Lebensmitteln essen, um den Körper ausreichend mit Aminosäuren zu versorgen und damit einen optimalen Gesundheitszustand sicherzustellen.

SINNLICHES ESSEN

Wenn Sie lernen, das Essen wirklich zu genießen, hat dies unermessliche Vorteile – Sie können das einfache, sinnliche Erlebnis des Essens wieder bewusst wahrnehmen. Es fördert die effiziente Verdauung, und Ihr Körper kann die Nährstoffe im Essen besser verwerten, was wiederum Ihre Gesundheit und Ihr Wohlbefinden verbessert.

Stellen Sie sich die folgenden Fragen: Sind Sie beim Essen in Sorge oder Gedanken? Essen Sie oft neben einer anderen Tätigkeit, etwa bei der Arbeit oder beim Fernsehen? Schlingen Sie das Essen hinunter, ohne es wirklich wahrzunehmen, oder essen Sie, wenn Sie müde oder gestresst sind? Erinnern Sie sich kaum noch, wann Sie das letzte Mal Geschmack und Geruch des Essens bewusst wahrgenommen haben? Wenn Sie einige dieser Fragen mit „Ja" beantwortet haben, können Sie Ihre Essgewohnheiten durch die „bewusste Wahrnehmung" verändern.

„Bewusstheit" ist das buddhistische Konzept, einen Moment zu genießen und sich ganz auf eine Aktivität, ein Objekt oder einen Gedanken zu konzentrieren. Versuchen Sie diese Übung: Nehmen Sie zum Beispiel eine Orange und sehen Sie sich die Schale genau an – die intensive Farbe und die feinen Poren in der Oberfläche.

Schälen Sie die Orange und atmen Sie dabei den Duft ein. Teilen Sie das Fruchtfleisch nun in Stücke. Fühlen Sie die Struktur mit den Fingern und der Zunge. Kosten Sie den Saft der Frucht. Wie würden Sie den Geschmack beschreiben? Süß, erfrischend, sauer? Nehmen Sie das Stück nun in den Mund und konzentrieren Sie sich auf die Struktur und den Geschmack beim Kauen. Denken Sie an den Orangenbaum, auf dem die Orange gewachsen ist, und an die Nährstoffe, die Sie gerade aufnehmen.

ÄNDERN SIE IHRE ESSGEWOHNHEITEN

Schalten Sie vor dem Essen den Fernseher ab, um sich ganz auf das Vergnügen des Essens und die sinnlichen Qualitäten der Speisen konzentrieren zu können. Riechen Sie den Duft der Mahlzeit vor dem ersten Bissen, denn Anblick und Geruch stimulieren den Appetit und fördern den Fluss der Verdauungssäfte (denken Sie nur an den herrlichen Duft frischen Brots).

Achten Sie darauf, wie Ihr Körper das Essen aufnimmt. Sind Sie ruhig, entspannt und sitzen Sie aufrecht, sodass die Nahrung leicht den Verdauungstrakt passieren kann, oder sind Sie gestresst und sitzen verkrümmt, sodass Magen und Darm zusammengedrückt werden? Entspannen Sie sich bewusst und atmen Sie zwischen den einzelnen Bissen tief durch. Beobachten Sie, ob Sie das Essen intensiver genießen.

Denken Sie auch darüber nach, wann Sie essen. Wahrscheinlich wurden Sie darauf konditioniert, drei Mahlzeiten pro Tag zu essen, was sich in einem normalen Arbeitstag gut unterbringen lässt. Doch sinnvoller ist es, dann zu essen, wenn der Körper nach Nahrung verlangt. Lernen Sie, die Hungersignale zu erkennen. Fragen Sie sich vor dem Essen, ob Sie hungrig sind oder aus Gewohnheit essen. Durch den bewussten Genuss fördern Sie diese Sensibilität. Sie können weiterhin drei Mahlzeiten täglich zu sich nehmen, doch sollten Sie dabei weniger essen und zwischendurch gesunde Imbisse einnehmen.

Achten Sie auch verstärkt auf Ihren Sättigungsgrad. Halten Sie während des Essens inne und fragen Sie sich, ob Sie weiteressen möchten. Vielleicht essen Sie aus Hunger, vielleicht aber aus emotionalen Gründen – werden Sie sich dieses Unterschieds bewusst. Wenn Sie normalerweise Ihren Teller leer essen, lassen Sie jetzt etwas übrig. Fragen Sie sich eine Stunde später, ob Ihnen dieses Essen jetzt fehlt.

FERNÖSTLICHE GEWÜRZE

Der westlichen Ernährung wird größtenteils Salz und Zucker zugesetzt. Oft werden diese nicht nur in Dosen- und Fertigprodukten, sondern auch in Brot, Getreideprodukten, Jogurt und Fruchtsäften verwendet. Langfristig sind zu viel Salz und Zucker gesundheitsschädlich, denn sie fördern Bluthochdruck, Übergewicht, Herzerkrankungen sowie Erwachsenen-Diabetes. Nahrungsmittelhersteller verwenden zudem auch künstliche Geschmackszusätze und -verstärker wie Glutamat, die aus noch nicht ganz geklärten Gründen der Gesundheit abträglich sind.

Um übermäßig viel Salz und künstliche Geschmackszusätze zu vermeiden, kochen Sie am besten selbst und verwenden dazu gesunde Zutaten. Auf diese Art wissen Sie genau, was Sie essen. Einige der geschmacksintensivsten Rezepte stammen aus östlichen Kulturen. Dabei kommen jedoch statt Salz und Zucker aromatische Kräuter und Gewürze zum Einsatz.

Diese Gewürze schmecken nicht nur gut, sondern sind auch gesund. Knoblauch, Ingwer und Chili können Herz-Kreislauf-Erkrankungen vorbeugen; Knoblauch verringert zusätzlich noch das Krebsrisiko. Zimt, Kümmel, Kardamom, Koriander und Senfkörner wirken appetitanregend und verdauungsfördernd. Gewürznelken haben antiseptische Eigenschaften, und Sesam enthält Fettsäuren, die das „schlechte" Cholesterin im Blut senken und dadurch Herzerkrankungen vorbeugen.

TIPPS FÜR FERNÖSTLICHE GEWÜRZE

Sie müssen Ihre Kochgewohnheiten nicht grundsätzlich ändern. Lassen Sie einfach ein paar der folgenden Ideen einfließen:

• Braten Sie Gemüse mit einer Gewürzkombination Ihrer Wahl – z. B. mit Ingwer, Knoblauch, Senfkörnern und Chili.

• Verfeinern Sie Kartoffelpüree mit gehacktem Knoblauch und klein geschnittenen Frühlingszwiebeln oder zerstampften Senfkörnern und klein geschnittenen Chili-Schoten.

• Braten Sie Brokkoli oder Kohlsprossen in Sesamöl und/oder geben Sie Sesamkörner hinzu.

• Verfeinern Sie Salatdressings mit gehackten Chili-Schoten.

• Würzen Sie Rühreier mit Kümmel, Koriander und Chili.

• Würzen Sie Reispudding oder gekochtes Obst, etwa Aprikosen, mit Gewürznelken und zerstampftem Kardamom.

• Verwenden Sie für Apfelkuchen Zimt oder Ingwerraspeln.

• Verfeinern Sie Tee mit Gewürznelken und Zimt.

SCHARFE KICHERERBSEN

Bei diesem einfachen Gericht kann man Knoblauch, Ingwer, Chili, Kümmel und Koriander zum Verfeinern des Geschmacks verwenden. Servieren Sie die Kichererbsen mit gedämpften, frischen Brechbohnen und Basmatireis mit roten Linsen (ähnlich dem indischen *Khichuri*).

ERGIBT 4 PORTIONEN

2 EL natives Olivenöl

1 TL gemahlener Kümmel

1 TL gemahlene Koriandersamen

2 Knoblauchzehen

1 gehackte Zwiebel

450 g gekochte Kichererbsen

6 geschälte und gewürfelte Tomaten

1 TL getrockneter Thymian

1 Prise Chili-Pfeffer

1 TL frischer, geriebener Ingwer

100 ml Wasser oder Gemüsebrühe

Meersalz und Pfeffer

Erhitzen Sie das Öl langsam in einer großen Pfanne oder einem Wok. Fügen Sie Kümmel, Koriander, Knoblauch und Zwiebel hinzu und braten Sie diese Zutaten drei bis vier Minuten. Geben Sie die Kichererbsen sowie die restlichen Zutaten dazu. Bringen Sie die Mischung zum Kochen und lassen Sie diese 15 Minuten auf kleiner Flamme kochen; fügen Sie gegebenenfalls etwas Wasser hinzu. Nach Belieben abschmecken.

GRUNDNAHRUNGSMITTEL

Die fernöstlichen Grundnahrungsmittel bestehen im Wesentlichen aus unbehandelten Zerealien und Hülsenfrüchten wie Reis, Nudeln, Sojabohnen und Linsen, die allesamt gesundheitsfördernd sind. Ernährungswissenschafter sind sich darüber einig, dass diese komplexen Kohlehydrate Gesundheit und Wohlbefinden fördern, doch die westliche Bevölkerung nimmt dennoch nicht genug davon zu sich. Unbehandelte Kohlehydrate weisen einen hohen Ballaststoffgehalt auf, der Herz-Kreislauf-Erkrankungen sowie Darmkrebs und Diabetes vorbeugt. Essen Sie möglichst viele der folgenden Nahrungsmittel – idealerweise decken Sie damit 50% Ihres täglichen Kalorienbedarfs.

REIS UND NUDELN

Reis ist eines der Grundnahrungsmittel in fernöstlichen Kulturen. Besonders brauner Reis ist sehr nahrhaft, da er Ballast- und Nährstoffe wie Thiamin (Vitamin B_1) enthält, die beim Schleifen und Polieren von weißem Reis verloren gehen. Brauner Reis ist gut für den Darm, stabilisiert den Blutzuckerspiegel und ist eine gute Alternative zu Weizen, wenn man unter einer Glutenunverträglichkeit leidet. Thiamin ist für Muskeln und Nerven wichtig.

In Ländern wie China und Japan werden häufig Nudeln gegessen. Japanische Soba-Nudeln aus Buchweizenmehl sind ein wertvoller Bestandteil jeder Vollwertkost. Bei Buchweizen handelt es sich um ein unbearbeitetes Korn, das reich an pflanzlichem Protein und Mineralien ist. Es enthält zudem eine Substanz namens Rutin, die gut für Herz und Blutgefäße ist.

SOJABOHNEN UND ANDERE HÜLSENFRÜCHTE

Sojabohnen sind Basis einer Vielzahl von Speisen, wie Miso Tempeh, Tofu, Sojamilch, -mehl und -sauce. Sie enthalten viel pflanzliches Protein (in China gilt Soja als „Fleisch ohne Knochen") sowie Eisen, Kalzium, Kalium, Magnesium, Folsäure und essenzielle Fettsäuren.

Sojaprodukte sind gesund für Herz und Verdauungssystem und stellen eine gute Alternative zu Fleischprodukten dar, wenn Sie Vegetarier sind oder weniger Fleisch essen wollen. Sojabohnen enthalten viel pflanzliche Östrogene, die Menstruationsschmerzen und Beschwerden in der Menopause lindern und Brustkrebs vorbeugen. Besonders Tofu, Sojamilch und Sojamehl sollten auf Ihrem Speiseplan nicht fehlen.

KOKOS-DHAL

Dhal ist ein hervorragendes Linsengericht, das noch dazu billig und nahrhaft ist. Es gibt die unterschiedlichsten Zubereitungsarten – bei diesem Rezept kommt der herrliche Geschmack von Kokosmilch zum Tragen. Dhal kann als Vorspeise oder Beilage serviert werden.

ERGIBT 4 PORTIONEN
2 EL pflanzliches Öl
5 Schalotten, fein gehackt
½ TL gemahlener Kurkuma
4 Knoblauchzehen, fein gehackt
1 kleine Zimtstange
2 rote Chilischoten, fein gehackt
180 g rote Linsen, gewaschen
1 TL Salz
600 ml Gemüsebrühe
300 ml Kokosmilch
1 EL frischer Zitronensaft
Frisch gemahlener schwarzer Pfeffer

Erhitzen Sie das Öl in einer großen Pfanne. Braten Sie die Schalotten drei Minuten, dann fügen Sie Kurkuma, Knoblauch, Zimt und Chili hinzu und braten das Ganze eine Minute. Fügen Sie die Linsen sowie Salz und Brühe hinzu und köcheln Sie das Gericht 45 Minuten. Rühren Sie die Kokosmilch unter und kochen Sie alles zehn Minuten. Geben Sie den Zitronensaft bei und schmecken Sie das Gericht mit Pfeffer ab.

Linsen sind ein weiterer wichtiger Bestandteil fernöstlicher Gerichte, wobei man zwischen braunen und roten Linsen unterscheidet. Rote Linsen kann man im Ganzen oder geschrotet kaufen, wobei im Westen die roten Linsen, die man nicht einweichen muss, am leichtesten erhältlich sind. Linsen enthalten Protein, Kalium, Eisen, Kalzium sowie Folsäure; sie stabilisieren den Blutzuckerspiegel, beugen Herzerkrankungen vor und senken das „schlechte" Cholesterin im Blut.

Bohnen und andere Hülsenfrüchte sind geschmackvoller und leichter verdaulich, wenn Sie diese keimen und austreiben lassen, da dabei die Stärke in Zucker umgewandelt wird. Die einzelnen Hülsenfrüchte werden unterschiedlich zubereitet. Linsen weichen Sie zwölf Stunden in lauwarmem Wasser ein (wobei nach acht Stunden das Wasser gewechselt werden muss), dann trocken Sie diese ab, legen Sie zwischen zwei Schichten Küchenkrepp an einen dunklen Ort und halten diese feucht. Nach 36 Stunden treiben Sie aus. Waschen Sie die Linsen und entfernen Sie wegstehende Häutchen. Sie können sie nun im Kühlschrank in einem geschlossenen Behälter sieben Tage aufbewahren. Braten oder kochen Sie die Linsen 3–4 Minuten oder dämpfen Sie sie 6–8 Minuten.

FERNÖSTLICHE ZUBEREITUNG

Zu den wichtigsten Kochutensilien der fernöstlichen Küche zählt eine dünnwandige Metallpfanne in Schüsselform. In Indien und Pakistan nennt man diese „Karahi", im Westen ist sie eher unter dem chinesischen Namen „Wok" bekannt. Durch den runden Boden verteilt sich die Hitze rasch und gleichmäßig, sodass die Zutaten rasch durchgaren und dadurch keine Nähr- oder Geschmacksstoffe verloren gehen.

Der Wok ist im Westen sehr beliebt, doch nur selten wird das ganze Potenzial dieser Pfanne genützt. In China verwendet man den Wok zum Frittieren, Kochen, Schmoren, Braten und Dämpfen. Bei den beiden letzten Zubereitungsmethoden bleiben die Nährstoffe erhalten und es ist kein oder nur wenig Öl erforderlich.

BRATEN

Zum Braten schneiden Sie die Zutaten in mundgerechte Stücke. Dabei kann es sich um weiches Fleisch wie Huhn oder Sirloin-Steak (Lendensteak), Fisch oder Gemüse handeln. Bedecken Sie den Boden mit hitzebeständigem Öl wie Sonnenblumen-, Erd-

nuss-, Sojabohnen- oder Maiskeimöl (keinesfalls Butter) und erhitzen Sie es. Fügen Sie die Zutaten hinzu und rühren Sie regelmäßig um. So kann das Essen kein weiteres Fett aufnehmen; es schmeckt lecker, und Gemüse bleibt zudem knackig.

DÄMPFEN

Gedämpftes Essen ist rasch und einfach ohne zusätzliches Fett zuzubereiten. Dabei bleiben die meisten wasserlöslichen Vitamine wie der Komplex B und C erhalten (beim Kochen gehen die wasserlöslichen Vitamine hingegen verloren). Gedämpftes Essen ist saftig und zart und verliert seine Form bei der Zubereitung nicht. Dämpfen ist gut für die Zubereitung von Fisch, Muscheln, Huhn und Gemüse geeignet.

Traditionellerweise dämpft man die Zutaten in einem Wok, indem man einen Stapel Dämpfkörbe aus Bambus über köchelndes Wasser oder Gemüsebrühe stellt. Die Lebensmittel sollten nicht zu dicht liegen, damit der Dampf richtig zirkulieren kann. Wenn die Flüssigkeit verdampft ist, füllen Sie kochendes Wasser nach. Auch hier zu Lande sind mittlerweile Kochtöpfe mit Dämpfeinsätzen erhältlich.

SPARGEL, BOHNENPASTE UND PILZE

Hier handelt es sich um ein klassisches chinesisches Rezept, bei dem die Zutaten in einem Wok gebraten werden. Verwenden Sie dazu Ihr Lieblingsgemüse und servieren Sie das Gericht mit gekochten Nudeln.

ERGIBT 4 PORTIONEN

2 EL natives Olivenöl

225 g Bohnenpaste (Tofu), in Würfel geschnitten

1 kleine Stange Lauch, geschnitten

225 g Austernpilze, gewaschen und im Ganzen

1 Knoblauchzehe, gepresst; 1 TL frischer Ingwer, fein gehackt

1 Bund grüner Spargel, in kleine Stücke geschnitten (entfernen Sie die untersten 5 cm)

100 ml Gemüsebrühe oder Wasser

2 EL Sojasauce; 2 EL trockener Sherry

1 TL Speisestärke, in etwas warmem Wasser aufgelöst

Erhitzen Sie das Öl in einem Wok und braten Sie die Bohnenpaste einige Minuten. Fügen Sie den Lauch hinzu. Nach einer Minute geben Sie Pilze, Knoblauch und Ingwer hinzu und braten alles, bis die Pilze Flüssigkeit abgeben. Fügen Sie nun Spargel, Brühe, Sojasauce und Sherry hinzu und kochen Sie alles zugedeckt, bis der Spargel weich ist. Rühren Sie die Stärke ein und lassen Sie die Sauce eindicken.

YIN- UND YANG-SPEISEN

Die chinesische Medizin geht davon aus, dass Gesundheit und körperliches Wohlbefinden eine ausgewogene Aufnahme von neutralen Yin-Zutaten und scharfen Yang-Zutaten erfordern. Das Konzept von *Yin* und *Yang* liegt der gesamten chinesischen Denkweise zu Grunde – alles im Universum ist entweder den Yin- oder den Yang-Eigenschaften zuzuschreiben. Yin wird mit dunkel, kalt, Nacht und weiblich assoziiert, während Yang für hell, heiß, Tag und männlich steht. Yin und Yang sind sich ergänzende Gegensätze. Eine ausgewogene Ernährung sorgt daher auch für ein Gleichgewicht zwischen Yin und Yang in Ihrem Körper, sodass die Energie (Chi oder Qi) ungehindert durch Ihren Körper fließen kann und somit Gesundheit und Wohlbefinden verbessert.

ERNÄHRUNG AUF YIN-YANG-BASIS

Ihre Ernährung sollte generell aus neutralen Lebensmitteln wie Reis sowie aus Yin- und Yang-Zutaten bestehen. Für eine Yin-Yang-basierte Ernährung müssen Sie Ihre körperliche Verfassung

GEFÜLLTE PILZE

Dieses Rezept zeigt die Kombination eines *Yin*-Lebensmittels (Pilze) mit *Yang*-Lebensmitteln (Knoblauch, Schalotten und Sojasauce). Das ausgewogene Gericht kann als Vorspeise, Gemüsebeilage oder vegetarische Hauptspeise serviert werden.

ERGIBT 4 PORTIONEN

12–16 große, flache Pilze

3 EL natives Olivenöl

2 Knoblauchzehen, fein gehackt

1 Schalotte, fein gehackt

1 Zweig frischer (oder ½ Teelöffel getrockneter) Rosmarin, gehackt

1 EL Sojasauce

4–5 EL Semmelbrösel

1 kleines Bund Petersilie, fein gehackt

Entfernen Sie die Strünke der Pilze und legen Sie sie beiseite. Entfernen Sie die schwarzen Kiemen. Legen Sie die Pilze mit der Öffnung nach oben in eine befettete, feuerfeste Form. Schneiden Sie die Strünke der Pilze klein und sautieren Sie diese kurz in Olivenöl. Fügen Sie den Knoblauch und die Schalotte, danach Rosmarin und Sojasauce hinzu und kochen Sie die Mischung, bis die Pilze Flüssigkeit abgeben. Geben Sie zum Aufsaugen der Flüssigkeit die Semmelbrösel und schließlich die Petersilie hinzu. Füllen Sie die Pilze mit der Mischung und backen Sie diese bei 200° Grad (Gas Stufe 6) etwa 5–10 Minuten goldbraun.

berücksichtigen. Ein Übermaß an Yin oder Yang führt zu Übergewicht, ein Mangel an Yin oder Yang zu Untergewicht. Menschen mit zu viel Yin neigen zu Kurzatmigkeit, bewegen sich langsam, brauchen viel Schlaf und leiden oft unter kalten Extremitäten. In diesem Fall sollten mehr Yang-Produkte gegessen werden. Menschen mit einem Überschuss an Yang schwitzen stark, sind hyperaktiv und neigen dazu, zu viel zu essen und zu trinken. Sie sollten folglich den Yin-Konsum steigern und den Yang-Konsum senken.

Yin-Nahrungsmittel sind erfrischend, weich und dunkel. Meerestiere und -pflanzen wie Fisch und Seetang sind Yin zuzuordnen, ebenso wie unter der Erde oder im Dunkeln wachsendes Gemüse und Pilze. Dazu zählen Gerste, Hafer, Weizen, Auberginen, Sojasprossen, Rüben, Gurken, Salat, Kürbis, Spinat, Tofu, Tomaten, Kresse, Ente, Hase, Schwein, Rhabarber, Bananen, Grapefruit, Zitronen und Wassermelonen.

Yang-Nahrungsmittel sind wärmend, trocken, hart und hell. Oft wachsen sie bei Licht auf oder über dem Boden. Dazu zählen Basilikum, Schnittlauch, Zimt, Koriander, Kümmel, Fenchel, Knoblauch, Ingwer, Petersilie, Paprika, Spargel, Lauch, Schalotten, Soja, Huhn, Lamm, Schaf, Aprikosen, Kirschen und Pfirsiche.

VERDAUUNG

Im Idealfall wird die Nahrung innerhalb von zwölf Stunden nach der Aufnahme verdaut und wieder ausgeschieden. Dies verhindert Verstopfung und verkürzt die Zeit, in der der Darm den kanzerogenen Stoffen des Essens ausgesetzt ist. Schon aus gesundheitlichen Gründen sollten Sie sicherstellen, dass Ihre Verdauung richtig funktioniert.

Die folgenden Stellungen fördern die effiziente Verdauung und Entgiftung des Körpers, da die Verdauungsorgane indirekt massiert und verstärkt durchblutet werden. Dadurch kann Ihr Körper mehr Nährstoffe aufnehmen, und Probleme wie Magenverstimmungen und Verstopfung werden verhindert. Sie können eine Variante von Schritt 4 auch unmittelbar nach dem Essen zur Unterstützung der Verdauung ausführen. Setzen Sie sich dazu mit seitlich abgewinkelten Beinen auf ein Kissen, wobei die Füße nach hinten zeigen. Schließen Sie die Knie, machen Sie die Wirbelsäule lang und legen Sie die Hände auf die Hüften.

Alle anderen Übungen sollten Sie erst eine Stunde nach dem Essen (oder drei Stunden nach sehr ausgiebigem Essen) ausführen. Wärmen Sie sich zunächst mit einigen Durchgängen der Geschmeidigkeitsübungen auf (siehe Seiten 52–55).

VERDAUUNGSÜBUNG

1 Stellen Sie sich mit breit geöffneten, parallel ausgerichteten Füßen hin. Legen Sie die Hände auf die Hüften und beugen sich mit ger-adem Rücken langsam hüftabwärts. Fassen Sie die Knöchel oder Zehen. Bei jedem Ausatmen beugen Sie sich etwas weiter hinunter.

2 Setzen Sie sich mit ausgestreckten Beinen hin und lassen Sie das abgewinkelte linke Knie nach außen fallen. Holen Sie den linken Fuß unter das rechte Bein. Stellen Sie das abgewinkelte rechte Bein über die linke Hüfte. Drehen Sie sich nach rechts und legen Sie den lin-ken Ellbogen auf das rechte Knie. Stützen Sie sich mit der rechten Hand hinten ab, ehe Sie die Übung auf der anderen Seite wiederholen.

3 Legen Sie sich mit dem Bauch auf den Boden und winkeln Sie die Arme seitlich der Schultern ab. Heben Sie nun durch Anspannung der Bauch- und Schultermuskeln Kopf und Schultern ab. Drücken Sie die Brust nach vor und nach oben und heben Sie den Bauch ab.

4 Knien Sie sich auf den Boden und platzieren Sie hinter sich ein großes Kissen. Lehnen Sie sich auf den Fersen zurück und öffnen Sie langsam die Füße, bis Sie zwischen den Beinen sitzen. Die Knie sollten geschlossen bleiben. Stützen Sie sich mit den Ellbogen ab und lehnen Sie sich zurück, bis Wirbelsäule und Kopf auf dem Kissen liegen. Die Arme liegen locker seitlich vom Körper am Boden.

VERDAUUNGSÜBUNG

1 Stellen Sie sich breit geöffneten, parallel ausgerichteten Füßen hin. Legen Sie die Hände auf die Hüften und beugen sich mit geradem Rücken langsam hüftabwärts. Fassen Sie die Knöchel oder Zehen. Bei jedem Ausatmen beugen Sie sich etwas weiter hinunter.

2 Setzen Sie sich mit ausgestreckten Beinen hin und lassen Sie das abgewinkelte linke Knie nach außen fallen. Holen Sie den linken Fuß unter das rechte Bein. Stellen Sie das abgewinkelte rechte Bein über die linke Hüfte. Drehen Sie sich nach rechts und legen Sie den linken Ellbogen auf das rechte Knie. Stützen Sie sich mit der rechten Hand hinten ab, ehe Sie die Übung auf der anderen Seite wiederholen.

3 Legen Sie sich mit dem Bauch auf den Boden und winkeln Sie die Arme seitlich der Schultern ab. Heben Sie nun durch Anspannung der Bauch- und Schultermuskeln Kopf und Schultern ab. Drücken Sie die Brust nach vor und nach oben und heben Sie den Bauch ab.

4 Knien Sie sich auf den Boden und platzieren Sie hinter sich ein großes Kissen. Lehnen Sie sich auf den Fersen zurück und öffnen Sie langsam die Füße, bis Sie zwischen den Beinen sitzen. Die Knie sollten geschlossen bleiben. Stützen Sie sich mit den Ellbogen ab und lehnen Sie sich zurück, bis Wirbelsäule und Kopf auf dem Kissen liegen. Die Arme liegen locker seitlich vom Körper am Boden.

„Menschen, die rein sind, mögen reines Essen. Dieses beruhigt und nährt und erfreut das Herz." Bhagavadgita

DIE YOGA-DIÄT

Die Yoga-Diät basiert auf dem Prinzip, dass wir von drei lebenswichtigen Kräften oder Gunas beherrscht werden: *Sattva*, *Rajas* und *Tamas*. Jede dieser Kräfte hat besondere Eigenschaften. Durch die richtige Ernährung müssen wir für ein Gleichgewicht zwischen diesen Gunas sorgen, um einen optimalen Gesundheitszustand zu ermöglichen.

DER HARMONISCHE SATTVA-TYP

Sattva ist vor allem mit Harmonie gleichzustellen. Menschen des Sattva-Typs sehnen sich nach Reinheit, Klarheit, Liebe und Verständnis. Um diese Harmonie zu erreichen, muss man den Anteil an sattvischen Nahrungsmittel erhöhen. Diese sind nahrhaft und leicht verdaulich und gelten als wichtigster Bestandteil einer Yoga-Diät. Dazu zählen Getreide, Zerealien, Gemüse, Obst, Nüsse, Milchprodukte, Kräuter, Kräutertees und Wasser.

DER HITZIGE RAJAS-TYP

Der R*ajas-Typ* strotzt vor Energie. Es handelt sich um feurige und starke, aber stressanfällige, ungeduldige und rastlose Menschen. Diese sollten den Konsum aller scharfen, bitteren, sauren oder salzigen Rajas-Nahrungsmittel zurückschrauben. Dazu zählen Kaffee, Schokolade, Tee, Salz, Fisch, Eier, Chili und sehr intensive Kräuter und Gewürze. Nur wenn Sie ein Tamas-Typ sind oder vorübergehende Lethargie oder Müdigkeit verspüren und einen Energieschub benötigen, sollten Sie die Aufnahme von Rajas-Nahrungsmittel steigern.

DER LETHARGISCHE TAMAS-TYP

Tamas äußert sich primär durch Stillstand und Trägheit. Tamasische Menschen sind eher langsam, ausdauernd, lethargisch und leicht deprimiert und sollten daher bevorzugt Sattva- und Rajas-Nahrungsmittel zu sich nehmen und die Aufnahme an tamasischem Essen reduzieren.

Tamas-Nahrungsmittel sind eher säuerlich, trocken oder alt, etwa Pilze, Fleisch, Zwiebel, Knoblauch, fermentierte Speisen wie Essig oder aufgewärmtes, überreifes oder schales Essen. Auch Alkohol gehört in diese Kategorie. Da tamasische Nahrungsmittel generell eher schlecht sind, sollten Sie diese nur dann zu sich nehmen, wenn Sie einen Überschuss an Rajas aufweisen und sich zum Beispiel gestresst und überarbeitet fühlen.

HAFERFLOCKEN MIT FRÜCHTEN

Das folgende Rezept eignet sich hervorragend für ein energiespendendes Frühstück oder als Imbiss. Es enthält vorwiegend gesunde und harmoniefördernde *Sattva*-Zutaten wie Nüsse, Getreide und Obst.

ERGIBT 1 PORTION

3–4 EL Haferflocken

1 EL gehackte Nüsse und Samen
  (z. B. Walnüsse, Haselnüsse, Mandeln oder Sonnenblumenkerne)

1 EL Trockenfrüchte (z. B. Rosinen oder Aprikosen)

Wasser

Evtl. eine Prise Meersalz

Sojamilch

½ Apfel, geraspelt

Evtl. etwas Ahornsirup

Geben Sie die Haferflocken mit den Nüssen, Samen und Trockenfrüchten in eine Pfanne. Fügen Sie die doppelte Menge davon an Wasser sowie das Meersalz hinzu und lassen Sie die Masse unter laufendem Rühren aufkochen. Köcheln Sie das Ganze nun, bis der Haferbrei eingedickt ist und fügen Sie nach und nach kalte Sojamilch hinzu. Rühren Sie um, damit der Brei nicht anklebt. Servieren Sie das Gericht nach Belieben mit Apfelraspeln, Ahornsirup oder Sojamilch.

FASTEN

In den fernöstlichen Kulturen fastet man traditionellerweise aus den unterschiedlichsten spirituellen, rituellen, asketischen oder religiösen Gründen. Im Westen stehen hingegen gesundheitliche Gründe im Vordergrund – man will das physische und mentale Wohlbefinden steigern, indem man Giftstoffe aus dem Körper eliminiert. Die meiste Zeit ist unser Verdauungssystem damit beschäftigt, Nahrung zu zerlegen, Nährstoffe zu extrahieren und zu absorbieren und Giftstoffe abzutransportieren. Beim Fasten kommt der Darm jedoch zur Ruhe und wird entschlackt. In der Folge fühlt man sich leichter, klarer und dynamischer. Fasten ist zudem gut für Haut und Haare, es fördert den erholsamen Schlaf, stärkt das Immunsystem und lindert selbst chronische Gesundheitsprobleme wie Ekzeme, Arthritis und Magenschmerzen.

DER RICHTIGE ZEITPUNKT

Im Idealfall sollten Sie zwei bis vier Mal pro Jahr fasten. Traditionellerweise ist der optimale Zeitpunkt zu Frühjahrs- und Herbstbeginn, da dies den Körper für die kommenden Sommer- bzw. Wintermonate mit Energie auflädt. Die nachfolgend beschriebene 5-Tages-Kur besteht aus drei Tagen der Vorbereitung, einer 24-Stunden-Phase des absoluten Fastens und einem Tag zum Ausklang. (Längeres Fasten sollte nur unter Aufsicht eines Experten erfolgen.) Während der Fastenzeit kann es Ihnen an Energie mangeln. Wählen Sie daher eine Zeit, in der Sie nicht allzu beschäftigt sind und gegebenenfalls Ruhepausen einlegen können. In dieser Phase fallen Ihnen eventuell Yoga, Qi Gong, Tai Chi oder Meditation besonders leicht, da Sie einen klaren Kopf haben und leicht in den meditativen Zustand gelangen.

EIN WORT DER VORSICHT

Während der Fastenzeit können Sie sich müde, gereizt oder kurzatmig fühlen oder unter Kopfschmerzen oder leichtem Zittern leiden. Bei stärkeren Nebenwirkungen sollten Sie das Fasten langsam abbrechen und einen Arzt kontaktieren.

Während der Schwangerschaft oder in der Stillzeit sollte nicht gefastet werden, da sich das Fehlen der Nährstoffe auf das heranwachsende bzw. neu geborene Baby negativ auswirkt. Bei chronischen Erkrankungen oder Medikamenteneinnahme sollten Sie Rücksprache mit einem Arzt halten und auf keinen Fall selbstständig Ihre Medikamente absetzen.

5-TÄGIGE FASTENKUR

1. TAG: Bereiten Sie Ihren Körper auf die Fastentage vor, indem Sie Fleisch, Milch- und Weizenprodukte (einschließlich Brot und Pasta), Fertigprodukte, Salz, Zucker, koffeinhaltige Getränke und Alkohol von Ihrem Speiseplan streichen. Essen Sie stattdessen Reis, Linsen, Quinoa, Buchweizen, Sojaprodukte (wie Sojamilch), frisches Obst und Gemüse und trinken Sie viel Kräutertee und Wasser. Vermeiden Sie es während der gesamten Fastenzeit zu rauchen.

2. UND 3. TAG: Beschränken Sie sich heute auf Obst, Gemüse und ungesüßten Naturjogurt. Trinken Sie reichlich Wasser, Kräutertees und Frucht- und Gemüsesäfte.

4. TAG: Heute ist der eigentliche Fastentag. Streichen Sie alle festen Nahrungsmittel und trinken Sie rund vier Liter Wasser, Kräutertees und Frucht- und Gemüsesäfte. Ruhen Sie sich bei Bedarf aus und meditieren Sie (siehe S. 78) – heute können Sie sich vielleicht viel besser konzentrieren als sonst.

5. TAG: Die Fastenzeit ist nun vorbei, doch sollten Sie erst langsam zu einem normalen Essverhalten zurückkehren, damit sich der Körper wieder daran gewöhnen kann. Essen Sie bevorzugt Reis, Jogurt, Obst und Gemüse.

FOLGEWOCHE: Sie können nun wieder normal essen, doch sollten Sie Salz, Zucker, Fertigprodukte, Alkohol und Zigaretten nach Möglichkeit vermeiden und Fleisch, vor allem rotes Fleisch, nur in Maßen essen, um den Nutzen der Fastenwoche zu maximieren.

REINIGENDES WASSER

Mediziner im Osten und Westen sind sich einig, dass ohne Wasser keinerlei Leben möglich ist. In den fernöstlichen Kulturen hat Wasser eine reinigende Wirkung – es versorgt den Körper mit Lebensenergie und befreit ihn von allen Giftstoffen. Dem westlichen Verständnis zufolge reguliert Wasser alle Vorgänge im Körper und hilft ihm, dem Essen die Nährstoffe zu entziehen. Ohne Wasser könnte der Darm die Nahrung nicht zerlegen. Wenn er jedoch ausreichend mit Wasser versorgt wird, weicht die Nahrung auf, quillt an, die einzelnen Zellen brechen auf und geben die Nährstoffe ab.

VERMEIDEN SIE DEHYDRATION

Wasser ist in vielerlei Hinsicht ein oft ignorierter Nährstoff. Auch wenn Sie genug trinken, um zu überleben, reicht die Menge vielleicht dennoch nicht aus, um den Körper entsprechend hydriert zu halten. Wenn Sie selten Wasser lassen und sich oft müde, lethargisch oder gereizt fühlen oder unter Kopfschmerzen, Verstopfung oder trockener Haut leiden, ist Ihr Körper wahrscheinlich nicht ausreichend mit Flüssigkeit versorgt. Achten Sie auf den Urin – er sollte blassgelb sein. Wenn er hingegen sehr dunkel ist, trinken Sie zu wenig. Sie sollen den ganzen Tag über regelmäßig Wasser lassen und nicht nur ein bis zwei Mal pro Tag.

DIE RICHTIGE FLÜSSIGKEITSMENGE

Trinken Sie nach Möglichkeit zwei Liter Wasser täglich. Schwangere und stillende Frauen sollten noch mehr Flüssigkeit zu sich nehmen. Auch bei Hitze, Sport oder Dehydration als Folge von Erbrechen und Durchfall besteht ein erhöhter Flüssigkeitsbedarf.

Kinder, die im Normalfall wesentlich aktiver sind als Erwachsene, geben viel Wasser über die Haut ab. Ein zwei Jahre altes Kind sollte mindestens 500 ml pro Tag trinken, ein dreijähriges Kind mindestens 750 ml.

„Ein entgifteter und entschlackter Körpe

GEEIGNETE GETRÄNKE

Um den Körper mit ausreichend Flüssigkeit zu versorgen, sollten Sie Leitungswasser trinken. In Flaschen abgefülltes Wasser hat im Gegensatz zu Leitungswasser einen hohen Anteil an Mineralien wie Kalzium, Magnesium und Kalium (siehe Flaschenetikett), ist aufbereitet und meist schadstofffrei.

Der Vorteil von Leitungswasser besteht darin, dass es nichts kostet und in beliebiger Menge zur Verfügung steht. Es muss nicht im Kühlschrank aufbewahrt werden und es fallen keine Umweltkosten für die Entsorgung der Flaschen an. Wenn Sie sich über die Qualität Ihres Leitungswassers nicht im Klaren sind, erkundigen Sie sich bei Ihrem Wasserwerk oder verwenden Sie einen Wasserfilter.

Sollte Ihnen Leitungswasser nicht schmecken, können Sie auch natürliche Geschmacksstoffe wie Ingwer, Zitronen- oder Limettensaft, frische Minze oder Holunderblütensirup hinzufügen.

Ebenso können Sie Wasser mit Fruchtsaft vermengen oder Kräutertee zubereiten. Vermeiden Sie koffeinhaltige Getränke, die den Flüssigkeitspegel im Körper senken, da sie den Harndrang steigern.

WIE SIE DIE TRINKMENGE STEIGERN KÖNNEN

Durst ist eine Mahnung, mehr zu trinken, sagt jedoch nicht viel über den tatsächlichen Flüssigkeitsspiegel im Körper aus. Wenn Sie Durst verspüren, sind Ihre Körperzellen und Ihr Gewebe bereits ernsthaft unterversorgt. Trinken Sie lieber, ehe Sie Durst verspüren, denn so kommt es erst gar nicht zu einem Wassermangel.

Eine Möglichkeit ist es, wenig und oft zu trinken – stellen Sie sich eine kleine Flasche zur Erinnerung neben sich auf den Tisch. Sie können auch am Morgen auf leeren Magen Wasser trinken (möglichst 1 Liter). Auf vollen Magen getrunken, kann das Wasser hingegen die Verdauung hemmen.

funktioniert einfach besser." Yoga Sutras Upanishad

GESUNDHEITSTEES

Im Westen denken wir beim Wort „Tee" zumeist an ein heißes Getränk, das aus schwarzen Blättern zubereitet wird. Doch es gibt tausende Arten von Tee, die allesamt von der immergrünen *Camellia sinensis* abstammen. Die Unterschiede in Geschmack, Aroma und Farbe sind auf die Lebensbedingungen der Pflanze sowie auf die Verarbeitungs-, Lagerungs- und Verpackungsmethoden der einzelnen Teeanbauregionen zurückzuführen.

Tee enthält Koffein, einen oft mit Kaffee assoziierten chemischen Stimulator. Diese Substanz regt das Nervensystem an, macht uns nervös und beeinflusst unseren tiefen Schlaf, ist aber auch harntreibend und senkt damit den Flüssigkeitsspiegel im Körper. Doch Tee wirkt dank der so genannten Polyphenole (Flavonoide) in den Blättern auch äußerst gesundheitsfördernd. Polyphenole haben antioxidante Eigenschaften und absorbieren damit schädliche Substanzen, die so genannten freien Radikale, die im Körper auf natürliche Weise, aber auch durch Zigarettenrauch und Umweltverschmutzung entstehen. Zudem beugen Polyphenole auch Degenerationserkrankungen wie Krebs, Herzerkrankungen und frühzeitigem Altern vor und senken das „schlechte" Cholesterin.

Um die negative Wirkung von Koffein wettzumachen und von den Polyphenolen zu profitieren, sollten Sie Tee trinken (ein bis zwei Tassen pro Tag) und am Nachmittag keinerlei koffeinhaltige Getränke zu sich nehmen (da diese schlafhemmend wirken können). Stattdessen sollten Sie naturbelassenen Tee, etwa grünen Tee, trinken, der im Osten schon seit Jahrhunderten medizinisch eingesetzt wird. Grüner Tee enthält einen hohen Anteil an Polyphenolen, was eine Erklärung für die geringe Anzahl an Herzerkrankungen in Japan sein könnte. Auch andere Teesorten sind einen Versuch wert. Probieren Sie Assam-Tee (siehe Rezept), Oolong oder Lapsang Souchong-Tee.

TEEZEREMONIEN ZUM MEDITIEREN

Tee kann auch dazu beitragen, zur Ruhe zu kommen. In Japan hat ein kompliziertes Ritual aus dem Zen-Buddhismus – die Teezeremonie (*Chanoyu*) eine lange Tradition. Dabei praktizieren Gastgeber und Gast ein strenges Ritual an Gesten und Handlungen, um so die Konzentration zu fördern und beim Teetrinken zu meditieren. Der Tee wird dabei aus einer kleinen Schüssel getrunken, die selbst als spirituelles Symbol gilt.

INDISCHER CHAI-TEE

Dieser Tee enthält viele wärmende und gesunde Gewürze. Der herrlich und beruhigend nach Weihrauch duftende Chai-Tee wird vor allem in Nordindien häufig getrunken.

1 EL Ingwerpulver
2 TL Kardamomsamen, gemahlen
4 Gewürznelken, gemahlen
1 TL schwarze Pfefferkörner, gemahlen
1 TL Zimtpulver
Evtl. 1 TL Sternanis, gemahlen
4 TL Assam-Tee
1 Liter Wasser
Milch und Honig nach Belieben

Mischen Sie alle Gewürze und bewahren Sie diese Mischung in einem gut geschlossenen Behälter auf. Für vier Tassen Tee kochen Sie einen Teelöffel der Gewürzmischung mit dem Assam-Tee und Wasser auf. Lassen Sie den Tee fünf Minuten auf kleiner Flamme kochen. Geben Sie Milch nach Belieben hinzu und kochen Sie den Tee nochmals auf. Seihen Sie den Tee in die Tassen ab und verfeinern Sie ihn mit Honig.

MUNTERMACHER

Mit leckeren Frucht- und Gemüsesäften können Sie Ihre Ernährung um viele zusätzliche Vitamine bereichern. Westliche Ernährungsexperten empfehlen mindestens fünf Portionen Obst und Gemüse täglich – ein einziges Glas frisch gepresster Fruchtsaft macht bereits die Hälfte der empfohlenen Menge aus. Laut der fernöstlichen Kulturen enthalten diese Säfte Lebensenergie, sie reinigen den Körper und das Blut und beugen Krankheiten vor.

FRISCH ZUBEREITET UND LECKER

Am besten kommen Sie in den Genuss der gesundheitsfördernden Substanzen, wenn Sie Säfte zuhause frisch zubereiten. Industriell hergestellte Säfte enthalten oft Zucker, Geschmacks- oder Konservierungsstoffe. Wenn Sie dennoch Säfte im Supermarkt kaufen, wählen Sie biologisch hergestellte und ungesüßte Produkte.

Um Obst und Gemüse zu Hause zu entsaften, benötigen Sie einige Hilfsmittel wie etwa eine herkömmliche Zitronenpresse sowie einen elektrischen Entsafter für andere Obst- und Gemüsesorten wie Möhren und Äpfel (oft haben elektrische Entsafter einen eigenen Aufsatz für Zitrusfrüchte). Zum Pürieren weicher Früchte, wie Erdbeeren, Himbeeren, Heidelbeeren oder Bananen und zum Herstellen von Frappees ist auch ein Mixer sehr nützlich.

Verwenden Sie nur frischeste Zutaten – eventuell sogar aus eigenem Anbau. Waschen Sie diese gründlich und entfernen Sie alle angeschlagenen und faulen Stellen. Frisch gepresster Saft hält sich nicht lange und verfärbt sich an der Luft rasch. Bereiten Sie daher nur kleine Mengen für den sofortigen Verzehr zu. Um Säfte kurze Zeit aufbewahren zu können, sollten Sie etwas frischen Zitronensaft hinzufügen.

ERFINDEN SIE IHRE EIGENEN MISCHUNGEN

Warum mischen Sie sich nicht Ihre eigenen Fruchtcocktails? Zeigen Sie sich erfinderisch und kombinieren Sie den Saft Ihres Lieblingsobstes oder -gemüses zu eigenen Kreationen. Testen Sie, was am besten schmeckt. Möhren-/Apfelsaft ist eine erfrischende Kombination ebenso wie Apfel/Mango oder Ananas/Grapefruit. Auch Gemüsesäfte aus Tomate und Gurke sind sehr beliebt, doch Sie können auch andere Gemüsesorten wie Rüben, Sellerie, Zwiebel, Salat, Kresse und Spinat versuchen.

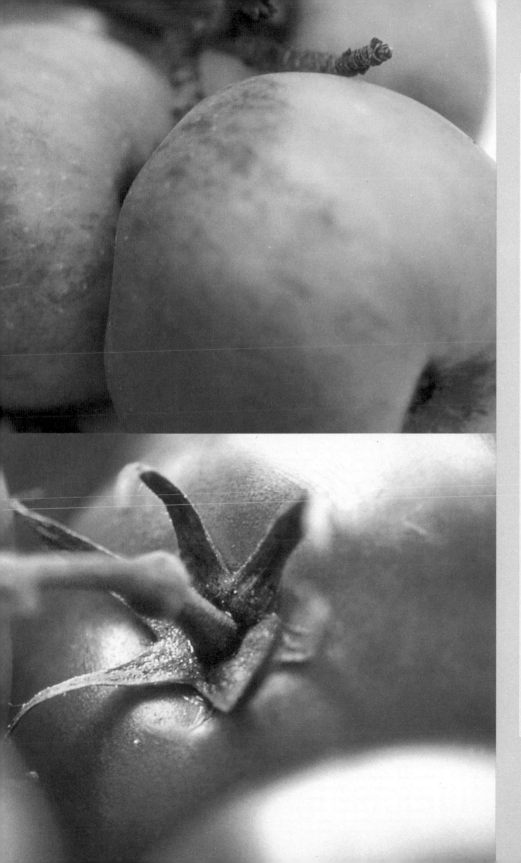

Die folgenden Rezepte stecken voller Nährstoffe. „Morgengruß" bringt den Körper am Morgen in Schwung, während „Party Popper" ein herrlicher alkoholfreier Cocktail ist, der auch als Aperitiv gereicht werden kann.

MORGENGRUSS

4 Äpfel, geschält und entkernt

2 Birnen, geschält und entkernt

½ Zitrone, ausgepresst

1 TL Ahornsirup

Entsaften Sie die Äpfel und Birnen. Fügen Sie Zitronensaft und Ahornsirup hinzu. Mischen Sie die Zutaten und servieren Sie das Getränk in einem hohen Glas.

PARTY POPPER

3 Stangen Sellerie

3 mittlere Tomaten

½ Gurke

½ Limette, ausgepresst

1 Spritzer Worcester-Sauce

Salz und Pfeffer zum Abschmecken

Pressen Sie das Gemüse aus. Fügen Sie den Limettensaft hinzu und schmecken Sie den gut gemischten Cocktail mit den restlichen Zutaten ab.

LIEBEN

Offen und bedingungslos lieben zu können, verbessert unsere eigene Lebensqualität und die unserer Mitmenschen, und öffnet uns Tür und Tor zu einer emotionalen und spirituellen Entwicklung. Sich selbst und andere vorbehaltlos zu lieben, ist eine der wichtigsten Lehren des Buddhismus.

Dieses Kapitel zeigt, wie man selbstsüchtiges und besitzergreifendes Verhalten zu Gunsten von Warmherzigkeit, Einfühlsamkeit und Großzügigkeit verändern kann. Dabei spielen auch Techniken wie die indische Kopfmassage eine große Rolle, die durch die Kraft der Berührung Intimität und Nähe fördert.

LIEBE UND GÜTE

Mit zunehmendem Alter fällt es uns immer schwerer, andere offen und bedingungslos zu lieben, wie wir das als Kinder taten. Wir haben Bedenken, unsere Gefühle zu zeigen und sind in unseren Beziehungen überkritisch oder stehen der ganzen Menschheit zynisch gegenüber. Allmählich werden all unsere Interaktionen von negativen Gefühlen dominiert. Eines der wichtigsten Konzepte des Buddhismus ist die selbstlose Liebe. Dies ist der Weg zum spirituellen Erwachen, der zudem auch unsere Lebensqualität sowie die unserer Mitmenschen verbessern kann.

Buddhistische Lehrer sehen Meditation als idealen Weg, um das Herz zu öffnen und mehr Liebe und Mitgefühl zu empfinden. Sie empfehlen dafür eine Meditationstechnik namens *Metta Bhavana* (*Metta* heißt „Liebe" und *Bhavana* bedeutet „Entwicklung").

DIE MEDITATIONSTECHNIK *METTA BHAVANA*

Setzen Sie sich als Vorbereitung für *Metta Bhavana* im Schneidersitz oder einer anderen Meditationshaltung auf den Boden (siehe Seiten 80/81) und schließen Sie die Augen. Atmen Sie gleichmäßig durch die Nase und konzentrieren Sie sich auf die in Ihnen schlummernden Gefühle der Liebe. Dazu lassen Sie die Gedanken in eine Zeit zurückwandern, als Sie sich wirklich geliebt gefühlt haben. Vielleicht denken Sie an die bedingungslose Liebe Ihrer Eltern während Ihrer Kindheit oder an ein Ereignis, als Sie die Herzlichkeit und Großzügigkeit eines Freundes oder einer Freundin besonders gerührt hat. Führen Sie sich noch einmal vor Augen, was Sie damals empfunden haben, und lieben und akzeptieren Sie sich nun genauso bedingungslos, wie Sie dies damals erlebt haben. Dadurch werden Sie auch anderen Liebe und Zuneigung zeigen können. Anfänglich ist es nicht leicht, diese Gefühle der Liebe, vor allem der Selbstliebe, nachzuvollziehen, doch mit etwas Übung wird es Ihnen bald leichter fallen.

In der nächsten Phase tragen Sie diese Gefühle nach außen. Das Ziel ist es, die Barrieren zu durchbrechen, um Ihren Mitmenschen Liebe und Sympathie zeigen zu können – und nicht nur jenen Menschen, die Ihnen bereits ans Herz gewachsen sind.

Richten Sie Ihre liebevollen Gefühle in dieser Reihenfolge an die nachstehenden Personenkreise: eine Respektsperson wie etwa einen Lehrer, Kollegen oder spirituellen Führer; einen engen Freund oder Verwandten; eine neutrale Person, die Sie nicht gut kennen, aber täglich treffen – etwa einen Verkäufer; und zuletzt

eine Person mit der Sie zurzeit Probleme haben. Diese Meditation wird Ihnen mithilfe von Visualisierungstechniken (siehe Seite 158) wesentlich leichter fallen. Stellen Sie sich vor, dass die jeweilige Person vor Ihnen steht und Sie fröhlich anlächelt. Sie senden ihr nun liebevolle Gedanken etwa „Möge dir Leiden und Schmerz erspart bleiben" oder „Mögest du glücklich sein". Wiederholen Sie eventuell die Worte „Liebe und Güte" als Mantra.

Denken Sie immer daran, dass alle Menschen im Wesentlichen denselben Wunsch nach Glück und Zufriedenheit und dieselben Ängste vor Schmerz und Leid haben. Lassen Sie Verbitterung und Ärger beiseite und versuchen Sie stattdessen, Mitgefühl und Einfühlungsvermögen zu empfinden.

Wenn es Ihnen gelingt, bestimmten Menschen Liebe zuteil werden zu lassen, können Sie als letzte Stufe dieser Übung versuchen, allen Menschen und Völkern dieser Welt uneingeschränkte Sympathien zu schenken. Gehen Sie ohne Vorbehalte auf andere zu. In dieser Phase werden Sie feststellen, dass Sie frei und bedingungslos lieben können. Üben Sie dies nicht nur in der Meditation, sondern auch im täglichen Leben und begegnen Sie allen Menschen warmherzig, offen und einfühlsam.

MEHR INTIMITÄT

In vielen modernen Beziehungen geht die Intimität verloren, da die Paare zu beschäftigt oder müde für Berührungen sind. Häufig haben die Partner dann das Gefühl, sich voneinander zu entfernen. Die liebevolle Verbindung kann jedoch bereits durch einige gemeinsame Übungen wieder zurückkehren. Die folgenden Dehnungsübungen sind eine gute Möglichkeit, um wieder Nähe zwischen den Partnern entstehen zu lassen. Dabei muss man sich auf seinen Partner verlassen können, rechtzeitig die notwendige Unterstützung zu erhalten, was eine für die Kommunikation äußerst wichtige Lektion ist. Wärmen Sie sich mit einigen Durchgängen der Geschmeidigkeitsübungen von Seite 52 auf. Übernehmen Sie abwechselnd die Rolle des Helfers. Geben Sie sich unterschiedlich viel Unterstützung und fragen Sie sich gegenseitig, was der andere als besonders hilfreich empfindet.

Um sich dem Partner während dieser Übungen anzunähern, empfiehlt es sich, die Atmung zu synchronisieren. Setzen Sie sich einige Minuten Rücken an Rücken, atmen Sie tief durch die Nase und spüren Sie dabei die Rückenbewegungen Ihres Partners an Ihrem eigenen Rücken. Bringen Sie Ihre Atmung in Einklang und behalten Sie dies während der gesamten Übungsabfolge bei.

DEHNUNGSÜBUNGEN FÜR ZWEI

1 Knien Sie sich in aufrechter Haltung mit geschlossenen, parallelen Knien auf den Boden. Ihr Partner kniet vor ihnen und legt seine Hände zur Unterstützung auf Ihren Rücken. Lehnen Sie sich nun zurück und umfassen Sie mit den Händen Ihre Fersen. Der Kopf fällt dabei leicht nach hinten. Verstärken Sie mit der Hilfe Ihres Partners die Neigung nach hinten.

2 Stellen Sie sich gegenüber von Ihrem Partner auf und fassen Sie sich an den Handgelenken. Strecken Sie die Arme langsam aus, sodass Sie sich beide leicht nach hinten neigen. Gehen Sie nun gemeinsam in eine tiefe Hocke und dann wieder zurück in den Stand.

3 Setzen Sie sich gegenüber auf den Boden. Strecken Sie die Beine zur Seite. Ihr Partner legt seine Füße auf Ihre Innenknöchel. Fassen Sie sich an den Handgelenken. Beim Ausatmen zieht Sie der Partner sanft zu sich. Dabei zeigen Knie und Zehen nach oben.

4 Ziehen Sie in Rückenlage das rechte Knie zur Brust. Lassen Sie es nach links fallen. Der Kopf zeigt nach rechts. Ihr Partner kniet rechts von Ihnen und erhöht die Dehnung, indem er Ihre rechte Schulter und Ihr rechtes Knie sanft hinunterdrückt. Wiederholen Sie dies auf der anderen Seite. Tauschen Sie die Rollen und beenden Sie die Übung mit einer Umarmung im Sitzen (Abbildung unten).

DEHNUNGSÜBUNGEN FÜR ZWEI

1. Knien Sie sich in aufrechter Haltung mit geschlossenen, parallelen Knien auf den Boden. Ihr Partner kniet vor Ihnen und legt seine Hände zur Unterstützung auf Ihren Rücken. Lehnen Sie sich nun zurück und umfassen Sie mit den Händen Ihre Fersen. Der Kopf fällt dabei leicht nach hinten. Verstärken Sie mit der Hilfe Ihres Partners die Neigung nach hinten.

2. Stellen Sie sich gegenüber von Ihrem Partner auf und fassen Sie sich an den Handgelenken. Strecken Sie die Arme langsam aus, sodass Sie sich beide leicht nach hinten neigen. Gehen Sie nun gemeinsam in eine tiefe Hocke und dann wieder zurück in den Stand.

3. Setzen Sie sich gegenüber auf den Boden. Strecken Sie die Beine zur Seite. Ihr Partner legt seine Füße auf Ihre Innenknöchel. Fassen Sie sich an den Handgelenken. Beim Ausatmen zieht Sie der Partner sanft zu sich. Dabei zeigen Knie und Zehen nach oben.

4. Ziehen Sie in Rückenlage das rechte Knie zur Brust. Lassen Sie es nach links nach rechts fallen. Der Kopf zeigt nach rechts. Ihr Partner kniet rechts von Ihnen und erhöht die Dehnung, indem er Ihre rechte Schulter und Ihr rechtes Knie sanft hinunterdrückt. Wiederholen Sie dies auf der anderen Seite. Tauschen Sie die Rollen und beenden Sie die Übung mit einer Umarmung im Sitzen (Abbildung unten).

„Nähren Sie Ihre wahre
Natur. Schenken Sie an-
deren Ihre Liebe." Tao Te Ching

LOSLASSEN

In einer glücklichen Beziehung fühlt man sich geliebt, begehrt und umsorgt. Dieses Gefühl der Geborgenheit, wie wir es aus der Kindheit kennen, gibt uns Mut und Zuversicht – man weiß, dass man nicht alleine ist. Doch leider werden diese positiven Aspekte manchmal von negativen Gefühlen begleitet. Denn viele Beziehungen scheitern an der Angst, den Partner zu verlieren. Wir befürchten, dass sich unsere Partner mit uns langweilen, jemanden anderen kennen lernen oder uns einfach nicht mehr lieben.

Die Angst vor dem Verlassenwerden macht uns defensiv, wir zeigen nicht mehr unsere wahren Gefühle, was eine offene und ehrliche Beziehung unmöglich macht. Wir sind abhängig, bedürftig und besitzergreifend, wir spielen Spielchen, um die Zuneigung unseres Partners auf die Probe zu stellen, und im Kampf um mehr Kontrolle werden wir aggressiv und skeptisch.

Doch dieses „Klammern" an eine Beziehung bewirkt genau das Gegenteil, denn statt dem ersehnten Glück und der Zufriedenheit handeln wir uns Ängste und Unzufriedenheit ein. Nach der buddhistischen Lehre besteht der Ausweg darin, nicht mehr, sondern weniger Kontrolle anzustreben, nicht so sehr zu kämpfen, sondern den Dingen einfach ihren Lauf zu lassen. Das ist das Prinzip des

„Nicht-Klammerns" oder Loslassens. Sogyal Rinpoche, Autor von *Das tibetische Buch vom Leben und vom Sterben,* meint dazu: „Obwohl man uns glauben macht, dass Loslassen bedeutet, am Schluss gar nichts zu haben, beweist das Leben immer wieder das Gegenteil – dass Loslassen der Weg zum Glück ist."

BEMÜHEN SIE SICH UM DAS GLÜCK IHRES PARTNERS

Im Buddhismus wird Liebe mit Herzlichkeit und Einfühlungsvermögen gleichgesetzt. Anhänglichkeit hingegen zeugt von Unsicherheit, Besitzdenken und Stolz. Um uns davon zu lösen, muss sich unser Verständnis von Beziehungen ändern – man muss die Möglichkeit der zeitlichen Begrenztheit akzeptieren. Für Buddhisten ist das Klammern an das Leben und an die Liebe gleichermaßen sinnlos, da diese von ihrem Wesen her nicht „fass-bar" sind. Glück ist nur dann möglich, wenn man loslässt.

Loslassen heißt nicht, kalt und distanziert zu agieren. Vielmehr gestalten sich die Beziehungen dadurch liebevoller, wenn Sie sich mehr um das Glück Ihres Partners bemühen, anstatt die Beziehung krampfhaft an Ihre eigenen Vorstellungen anzupassen. Fragen Sie sich bei jeder Forderung und jedem Streit nach Ihrer wahren Motivation – geht es um Liebe und Mitgefühl oder um Angst und Unsicherheit? Lernen Sie den Unterschied zwischen Ihrem kindlichen Ego (siehe Seite 64) und der Stimme Ihres wahren Selbst, das sich selbst und anderen das Recht auf eigene Wünsche und Sehnsüchte zugesteht, ohne dabei um die Beziehung zu bangen.

ÜBEN SIE DAS LOSLASSEN

Beginnen Sie mit der Meditationsübung von Seite 126. Dann stellen Sie sich vor, eine wertvolle Münze in der Hand zu halten, die Sie nicht verlieren wollen – symbolisch für die Beziehung. Sie halten die Münze fest in der Faust mit der Handfläche nach unten. Wenn Sie die Faust öffnen, fällt die Münze hinunter. Nun visualisieren Sie das gegenteilige Szenario. Drehen Sie die Faust, dass die Finger nach oben zeigen, öffnen Sie diese langsam und strecken Sie die Finger aus. Obwohl die Münze nun völlig frei liegt, befindet sie sich sicher in Ihrer Hand. Denken Sie an das beruhigende Gefühl dabei. Betrachten Sie Ihren Partner oder Ihre Partnerin nun ebenso, und malen Sie sich aus, wie Sie ihn oder sie umsorgen und unterstützen, ohne dabei um die Liebe bangen zu müssen.

LÖSEN VON PROBLEMEN

In allen Beziehungen gibt es von Zeit zu Zeit Probleme. Doch viele Menschen gehen bei Streits in die Defensive und suchen automatisch die Schuld beim Partner. Besser und dem buddhistischen Prinzip von „Liebe und Güte" entsprechend wäre es, das Problem mit Gleichmut anzunehmen und zu versuchen, die dahinter liegenden Gründe zu verstehen. Wenn Sie auf Schuldzuweisungen verzichten, gestehen Sie ein, dass jedes Problem auf eine Vielzahl an Gründen zurückzuführen ist und nicht eine einzelne Person Schuld trägt.

Fragen Sie sich bei Ihrem nächsten Streit, ob Sie sich ärgern, weil Sie verletzt sind. Wenn dies der Fall ist, warum artikulieren Sie dies nicht und erklären die Gründe dafür? Wenn Ihr Partner unglücklich ist und daher bestimmte Verhaltensweisen zeigt, fragen Sie sich, woran das liegt. Statt verärgert und beleidigt zu reagieren, sollten Sie sich entgegen Ihren Gewohnheiten tolerant und verständnisvoll zeigen. Das sorgt für mehr Nähe zwischen Ihnen und Ihrem Partner und erstickt zukünftige Probleme im Keim.

In Auseinandersetzungen vertreten wir oft Standpunkte, hinter denen wir gar nicht wirklich stehen. Sehen Sie die Situation lieber unparteiisch, anstatt an einer eingefahrenen Meinung festzuhalten. Seien Sie verständnisvoll und nachgiebig. Die folgenden Übungen helfen Ihnen, Ihren Partner besser zu verstehen und sich in seine Lage zu versetzen. Vereinbaren Sie, beim nächsten Gefecht innezuhalten und diese Übung zu machen. Stellen Sie sich vor, dass Sie neben Ihrem Partner sitzen und lassen Sie Ihre Gedanken zurück in eine Zeit wandern, als die Beziehung harmonisch war und jeder seine Meinung frei äußern konnte. Visualisieren Sie, dass dies noch immer so ist und Ihr Partner Ihren Worten offen Gehör schenkt. Erklären Sie nun sachlich das Problem. Stellen Sie sich vor, dass Sie Ihrem Partner freimütig sagen, wie wütend oder verletzt Sie sind.

Sie könnten aber auch einen imaginären Dialog verfassen. Halten Sie Ihre eigenen Aussagen und die Worte Ihres Partners in diesem neuen Klima des Verstehens fest. Lassen Sie ihn seine Seite darlegen. Schreiben Sie alles nieder, bis Sie meinen, dass alles gesagt wurde. Tauschen Sie dann die Dialoge miteinander. Diese Übung sollte Ihnen zu einer offeneren und einfühlsameren Gesprächskultur verhelfen. Dann können Sie an zukünftige Probleme mit mehr Verständnis herangehen.

„Dein Herz wird voll Liebe sein, wenn es keine Barriere zwischen dir und anderen gibt."Jiddu Krishnamurti

SINNLICHE BEGEGNUNG

Kopfmassagen haben in Indien eine lange Tradition. Eltern massieren die Haare ihrer Kinder, um dichten Haarwuchs zu fördern, und Frisöre bieten Kopfmassagen als Dienstleistung an. Selbst am Strand oder an Straßenecken werden Kopfmassagen angeboten. Solche Massagen sind nicht nur entspannend und sinnlich, sie wirken auch beruhigend und tröstlich. Die liebevollen Berührungen während einer Kopfmassage stärken die Beziehung, da sie das Gemeinsamkeitsgefühl und das Vertrauen der Partner fördern. Massagen sind eine hervorragende Methode, um nach einem hektischen Tag Stress abzubauen. Die daraus resultierende Entspannung und Nähe führt oft zu intimen Begegnungen.

Normalerweise verwendet man Duftöle, wie Kokosnuss-, Sesam-, Senf- oder Mandelöl. Damit gleiten die Hände leichter über den Kopf. Auch den Haaren kommt eine solche Pflegebehandlung von der Wurzel bis zur Spitze zugute. Man kann fertige Öle kaufen oder diese selbst mischen, indem man etwa einige Tropfen Ölessenz (Sandelholz, Jasmin oder Zimt) mit Sonnenblumenöl mischt.

Für eine Kopfmassage gibt es keine strengen Regeln. In Indien hat jede Familie ihre eigene Technik, die von Generation zu Generation weitergegeben wird. Die folgende Übungsabfolge beschreibt eine herrliche, sinnliche Kopfmassage. Sie können die Technik an Ihre Bedürfnisse anpassen oder eigene Streichelbewegungen erfinden. Fragen Sie Ihren Partner, was sich gut anfühlt und lassen Sie sich davon leiten. Sie können auch Nacken und Schultern in die Massage miteinbeziehen oder die Kopfmassage als Abschluss einer Ganzkörpermassage einsetzen.

Ihr Massagepartner muss bequem in einer aufrechten Haltung sitzen (siehe Seite 44) und die Augen schließen. Eine Hand lassen Sie immer auf seinem Kopf ruhen. Führen Sie nun gleichmäßige und ruhige Bewegungen durch, die fließend ineinander übergehen. Atmen Sie tief und langsam – Ihr Partner wird seine Atmung intuitiv an die Ihre anpassen.

SINNLICHE KOPFMASSAGE

Verreiben Sie etwas Öl in den Handflächen und führen Sie die Hände vom Scheitel bis zur Schädelbasis mit langen, gleitenden Bewegungen durch die Haare des Partners. Geben Sie weiteres Öl in die Handflächen, bis Sie das Öl gleichmäßig in den Haaren verteilt haben. Unterstützen Sie die Stirn des Partners mit einer

Hand, während Sie mit dem anderen Handrücken Druck auf die Schädelbasis ausüben (siehe Abb. links). Streichen Sie mit dem Handrücken sanft über den Hinterkopf. Dann nehmen Sie an der Oberseite des Kopfes Haarsträhnen in beide Fäuste und ziehen sanft daran. Verfahren Sie am ganzen Kopf so.

Spreizen Sie die Finger und führen Sie mit den Fingerkuppen kleine kreisende Bewegungen am Kopf aus. Machen Sie mit gespreizten Fingern leichte, rasche Klopfbewegungen auf dem gesamten Kopf, wobei die Finger dabei beweglich bleiben sollten.

Legen Sie die Handflächen über den Ohren auf beide Seiten des Kopfes, sodass die Fingerspitzen an der Kopfoberseite zu liegen kommen. Üben Sie Druck aus und schieben Sie die Kopfhaut sanft hinauf. Wiederholen Sie diese Bewegung mit den Handrücken etwas vor den Ohren.

Legen Sie die Handflächen auf die Schläfen. Beschreiben Sie mit geöffneten Handflächen große kreisende Bewegungen über den Schläfen und dann auch sanft über den Ohren. Zum Abschluss streichen Sie abwechselnd mit beiden Händen die Haare hinunter. Tauschen Sie jetzt die Rollen, damit auch Sie in den Genuss der Berührungen Ihres Partners kommen.

„Um zu beginnen, müssen wir nur zuhören." Jack Kornfield

BERÜHRUNG UND NÄHE

Durch eine Shiatsu-Rückenmassage können Sie den engen Kontakt, die Nähe und das Vertrauen zu Ihrem Partner genießen. Diese alte japanische Therapie zielt darauf ab, ein Gleichgewicht der *Ki*-Energie (entsprechend dem *Qi* oder *Chi*) im Körper zu bewirken. Die folgende Massage kann Ihnen helfen, wenn Sie und Ihr Partner vor einer wichtigen Entscheidung stehen, ob es nun darum geht zu heiraten, ein Baby zu bekommen oder umzuziehen. Gehirn und Nervensystem werden in Einklang gebracht und Angst, Ruhelosigkeit, Verwirrung und mangelnde Entscheidungsbereitschaft vermindert. Schalten Sie das Telefon ab und suchen Sie sich ein ruhiges, ungestörtes Zimmer. Das ist Ihre Zeit, während der Sie sich ganz aufeinander konzentrieren. Die besten gemeinsamen Entscheidungen werden getroffen, wenn beide Partner konzentriert und entspannt sind.

SHIATSU-RÜCKENMASSAGE

Diese Massage bedient sich einer einfachen Technik, bei der Sie die Hände auf den Körper des Partners legen und langsam Ihr Körpergewicht darauf verlagern. Tragen Sie bequeme Kleidung, um sich frei bewegen zu können; Ihr Partner kann bekleidet oder nackt sein. Er sollte am Bauch auf einer Matratze oder einigen Decken auf dem Boden liegen.

Knien Sie sich neben Ihren Partner und legen Sie die Handflächen auf beide Seiten seiner Taille. Verlagern Sie einen Teil des Körpergewichts auf Ihre Hände. Führen Sie die Hände unter festem Druck langsam zum Steißbein (den Teil der Wirbelsäule zwischen den Hüftknochen). Setzen Sie sich rittlings auf Ihren Partner und verschränken Sie die Finger. Legen Sie diese auf das Steißbein und üben Sie mit Ihrem Körpergewicht starken Druck aus.

Gehen Sie zum Kopf Ihres Partners, wobei Sie dabei eine Hand zur Beruhigung auf seinem Rücken belassen. Knien Sie sich hin und legen Sie die Hände zwischen die Schulterblätter. Üben Sie festen Druck aus. Legen Sie die Hände nun auf beide Seiten der Wirbelsäule (Abb. gegenüber) und führen Sie die Handflächen unter festem Druck den Rücken hinab.

Wechseln Sie sich mit der Massage ab und besprechen Sie dabei das Problem, zu dem Sie eine Entscheidung treffen wollen. Die Massage sorgt bei Ihnen und Ihrem Partner für Entspannung und Konzentration, Sie kommen sich näher und es fällt Ihnen leichter, eine für beide Partner akzeptable Entscheidung zu fällen.

SEX UND SPIRITUALITÄT

Im Westen stellen wir sehr große Erwartungen an den Sex. Bücher, Filme und Werbung verleiten uns zur Annahme, dass Sex all unsere Bedürfnisse nach Liebe, Leidenschaft und Romantik befriedigen soll. Es ist fast so, als ob guter Sex mit Glück, Zufriedenheit und Erfolg gleichzusetzen wäre, und schlechter Sex – oder kein Sex – Unglück, Unzufriedenheit und Versagen bedeutet.

Der Ansatz einiger fernöstlicher Schulen ist wesentlich weniger zielorientiert. Die indische Kunst des Tantrismus (und die chinesische Kunst des Taoismus) sieht Sex als wertvolle Kombination zweier gleicher, aber entgegengesetzter maskuliner und femininer Energiekräfte. Im Tantrismus heißen diese *Shiva* und *Shakti* (im Taoismus *Yin* und *Yang*). Durch die sexuelle Vereinigung wird ein Gleichgewicht zwischen diesen Kräften hergestellt, was für körperliches und spirituelles Wohlbefinden unerlässlich ist.

SEX IM TANTRISMUS

Der Tantrismus ist ein Teil von Yoga, der aus den teilweise mit erotischen Anweisungen befassten *Tantra*-Schriften abgeleitet wurde. Der Tantrismus sieht Sex als wichtigen Weg, um mithilfe von Energie eine höhere Bewusstseinsstufe und Erleuchtung zu erlangen. Durch die Verlängerung des Geschlechtsverkehrs, das Vermeiden des Orgasmus und der Ejakulation wird Sex zu einem meditativen Akt, der die spirituelle Entwicklung fördert.

Auch wenn nicht alle Menschen in der westlichen Welt spirituelle Erleuchtung durch Sex anstreben, bietet der Tantrismus doch eine wichtige Lehre in Bezug auf Intimität, Sinnlichkeit und Nähe. Für viele Paare besteht der Zweck des Sex einzig und allein im Orgasmus. Dies stellt Männer und Frauen unter einen enormen Leistungsdruck, bedeutet aber auch, dass der Orgasmus das Ende des sinnlichen Vergnügens darstellt. Verfechter des Tantrismus argumentieren für eine Technik, die sich „auf der Welle reiten" nennt. Dabei können sich Paare stundenlang lieben, ehe – oder ohne dass – sie einen Orgasmus erleben. Viele Menschen finden Sex ohne den verpflichtenden Orgasmus schöner und empfinden dabei mehr Nähe zu ihrem Partner.

DAS REITEN AUF DER WELLE

Das Ziel des „Reitens auf der Welle" ist es, beim Sex einen meditativen Zustand zu erreichen. Das sollte man normalerweise von einem Experten lernen, doch Sie können dies auch selbst üben.

Stimmen Sie sich zunächst durch ein langsames und sinnliches Vorspiel auf die sexuelle Begegnung ein. Füttern Sie sich mit exotischen Nahrungsmitteln und massieren Sie sich mit Duftölen. Dadurch erreichen Sie eine Stimmung absoluter Vertrautheit und Entspannung.

Setzen Sie sich einander gegenüber im Schneidersitz auf den Boden und konzentrieren Sie sich ruhig auf Ihre Atmung. Legen Sie dann beide Ihre rechte Hand über dem Herz des Partners auf dessen Brust. Fühlen Sie die Wärme. Synchronisieren Sie Ihre Atmung und spüren Sie die Atmung des Partners durch die Handfläche. Atmen Sie langsam in den Bauch, blicken Sie sich tief in die Augen und denken Sie nur an den Partner. Stellen Sie sich vor, dass Ihre liebevollen Gefühle den Partner über Ihre Hand erreichen.

Wenn Sie bereit für den Geschlechtsverkehr sind, empfiehlt sich eine Position, bei der der Mann im Schneidersitz auf dem Boden und die Frau auf ihm sitzt und die Beine um seine Taille schlingt. Da es sich dabei um eine relativ statische Position handelt, können Sie sich auch in die Augen blicken und dabei meditieren.

Um die erotische Hochspannung aufrechtzuerhalten, kann die Frau ihre Vaginalmuskulatur um den Penis des Mannes kontrahieren. Falls die Erregung des Mannes zu groß wird, kann er die Ejakulation durch die Konzentration auf die Atmung und die Verlängerung der Atemzüge verhindern (was bei jeder Art von Sex hilft). Wenn der Mann müde wird, kann er sich auf den Rücken legen, während die Frau rittlings auf ihm sitzt und die Hände auf seine Brust legt. Bedenken Sie, dass das Ziel nicht im Orgasmus, sondern in Sinnlichkeit und der Nähe zum Partner besteht.

„Solange es um Lustgewinn geht, gibt es Angst, Sorge und Kummer." Jiddu Krishnamurti

SCHLAFEN

Physische und mentale Entspannung vor dem Schlafengehen ist die beste

Voraussetzung für einen erholsamen Schlaf. Oft sind die Muskeln im ganzen

Körper noch vom langen Sitzen oder Stehen bei der Arbeit verspannt, oder uns

gehen noch die Ereignisse oder Probleme des Tages durch den Kopf.

In diesem Kapitel erfahren Sie, wie Sie sich mithilfe von Yoga-Atmung, Visuali-

sierung, Dehnungsübungen und Feng Shui von Stress, Verspannung und Sorgen

befreien und sich optimal auf die Schlafphase vorbereiten können. So werden Sie am

nächsten Morgen erfrischt aufwachen und beschwingt in den neuen Tag gehen können.

ZUR RUHE KOMMEN

Wenn Sie unmittelbar nach der Arbeit oder nach dem Fernsehen zu Bett gehen, weilt Ihr Geist vielleicht noch bei diesen Themen und Ihr Körper ist noch nicht entspannt. Daher sollten Sie sich vor dem Zu-Bett-Gehen etwas Zeit geben, um abzuschalten. Spät abends sollten Sie zudem Kaffee und übermäßigen Sport vermeiden, da dies Körper und Geist anregt. Nehmen Sie sich lieber eine Stunde Zeit für Aktivitäten wie Lesen, Yoga oder Meditation. Um zur Ruhe zu kommen, empfehlen sich die Techniken der progressiven Muskelentspannung und der Brahmari-Atmung.

ENTSPANNEN SIE IHRE MUSKELN

Mithilfe der progressiven Muskelentspannung können Sie systematisch alle körperlichen Verspannungen lösen. Legen Sie sich in der Totenstellung (siehe Seite 93) auf den Boden, entspannen Sie sich kurz und winkeln Sie dann Zehen und Füße an. Halten Sie die Spannung fünf Sekunden, danach lockern Sie die Haltung wieder und spüren, wie die Spannung abfällt. Sagen Sie sich, dass Ihre Füße warm und schwer sind, und genießen Sie dieses Gefühl. Nehmen Sie bewusst den Gegensatz zwischen Anspannung und Entspannung wahr, denn dieses Bewusstsein ist der Schlüssel zur

Entspannung. Wenn Sie etwa beim Entspannen ein kribbelndes Gefühl in den Füßen spüren, merken Sie sich die Stelle, um Verspannungen später dort lösen zu können.

Wiederholen Sie diese Übung des An- und Entspannens nun mit den Waden und arbeiten Sie sich langsam hinauf zu Oberschenkeln, Gesäß, Becken, Bauch, unterem Rücken, Brust, oberem Rücken, Händen (zu Fäusten geballt), Unterarmen, Oberarmen, Schultern und Hals. Beim Gesicht angelangt, öffnen Sie den Mund und strecken Sie die Zunge möglichst weit hinaus. Schließen Sie den Mund, drehen Sie die Augen nach oben und runzeln Sie die Stirn. Nun entspannen Sie Gesicht und Schädel und fühlen, wie der Kopf vom Boden getragen wird.

Nun sollte Ihr Körper schwer sein und das gesamte Gewicht auf dem Boden ruhen. Bleiben Sie beliebig lange in diesem Zustand der Entspannung. Stellen Sie sich vor, dass Ihr Geist ein Scheinwerfer ist, der Ihren Körper von oben nach unten nach verspannten Stellen durchsucht. Sobald eine Stelle gefunden wurde, erinnern Sie sich an das zuvor erlebte Gefühl der Entspannung und versuchen Sie, dieses auch in der jetzt noch verspannten Körperregion nachzuvollziehen.

ATMEN SIE SICH IN DEN SCHLAF

Mithilfe der aus dem Yoga stammenden Brahmari-Atmung (auch Atmung der summenden Biene, denn „Brahmari" heißt „Biene") kann man kurz vor dem Zu-Bett-Gehen einen leichten meditativen Zustand erlangen. Summen Sie beim Ausatmen wie eine Biene, denn das sorgt für einen Zustand der Ruhe und Entspannung. Bei der Brahmari-Atmung verlängern Sie die Atemzüge, was eine beruhigende Wirkung auf den Geist hat. Darüber hinaus werden dabei Hals-, Rücken- und Schultermuskulatur entspannt.

Setzen Sie sich im Schneidersitz auf den Boden und stecken Sie die Finger in die Ohren. Konzentrieren Sie sich beim Ein- und Ausatmen auf das Geräusch der Atmung und beobachten Sie, wie sich die Atmung durch die geschlossenen Ohren anders anhört – schon der Ton alleine ist beruhigend. Summen Sie beim nächsten Ausatmen. Variieren Sie die Höhe des Tons und die Lautstärke, bis der Ton für Sie beruhigend klingt. Atmen Sie aus, bis die Lunge fast leer ist. Erst dann atmen Sie ein. Wiederholen Sie diese Übung zehnmal.

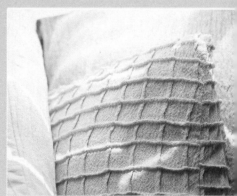

ABENDÜBUNG

Diese sanfte Übungsabfolge hilft Ihnen, die Verspannungen zu lösen, die sich während des Tages in Geist oder Körper aufgebaut haben, und stimmt Sie auf den Schlaf ein. Ziehen Sie sich während dieser Übungen von der Außenwelt zurück und verbringen Sie einige Minuten ganz in sich gekehrt. Atmen Sie tief und spüren Sie, wie sich der Bauch bei jedem Atemzug hebt und senkt. Konzentrieren Sie sich auf eine gleichmäßige und ruhige Atmung und durchsuchen Sie Ihren Körper im Geist nach Verspannungen. Stellen Sie sich beim Ausatmen vor, dass diese Verspannungen dahinschmelzen. Entspannen Sie Gesicht, Kiefer, Hals, Schultern und Rücken gänzlich.

Halten Sie jede Stellung zwei bis drei Minuten und die abschließende Position der Totenstellung solange Sie wollen. Hören Sie dabei auf Ihre Gedanken. SInd diese friedlich oder aufgebracht? Beobachten Sie die Gedanken, ohne sich davon ablenken zu lassen. Konzentrieren Sie sich auf die Atmung und sagen Sie sich: „Ich weiß, dass ich einatme, ich weiß, dass ich ausatme." Rollen Sie sich danach auf die Seite und setzen Sie sich kurz auf. Bewahren Sie sich diese Ruhe bis Sie zu Bett gehen – sie wird sich im Schlaf fortsetzen und für einen erholsamen Schlaf sorgen.

ABENDÜBUNG

1 Legen Sie sich auf den Rücken, die Arme hinter Ihrem Kopf. Die Fußsohlen berühren einander und die Knie fallen nach außen.

2 Ziehen Sie die Knie zur Brust und umschlingen Sie diese mit den Armen. Machen Sie kleine seitliche Schaukelbewegungen.

3 Legen Sie die Hände auf die Knie und kreisen Sie diese in entgegengesetzter Richtung zueinander. Lassen Sie die Kreise immer größer werden und ändern Sie dann die Richtung.

4 Ziehen Sie die Knie wieder zur Brust und umfassen Sie diese mit den Händen. Schaukeln Sie weit nach vorne und zurück, sodass das Gewicht bei der Vorwärtsbewegung auf das Gesäß und bei der Rückwärtsbewegung auf die Schulterblätter verlagert wird. Dadurch werden Verspannungen in den großen Rückenmuskeln gelöst.

5 Legen Sie sich mit leicht geöffneten Beinen auf den Rücken. Die Arme liegen seitlich neben dem Körper und die Handflächen zeigen nach oben. Ihr ganzer Körper sinkt nun in den Boden. Schließen Sie die Augen und konzentrieren Sie sich auf Ihre Atmung.

ABENDÜBUNG

1. Legen Sie sich auf den Rücken, die Arme hinter Ihrem Kopf. Die Fußsohlen berühren einander und die Knie fallen nach außen.

2. Ziehen Sie die Knie zur Brust und umschlingen Sie diese mit den Armen. Machen Sie kleine seitliche Schaukelbewegungen.

3. Legen Sie die Hände auf die Knie und kreisen Sie diese in entgegengesetzter Richtung zueinander. Lassen Sie die Kreise immer größer werden und ändern Sie dann die Richtung.

4. Ziehen Sie die Knie wieder zur Brust und umfassen Sie diese mit den Händen. Schaukeln Sie diese weit nach vorne und zurück, sodass das Gewicht bei der Vorwärtsbewegung auf das Gesäß und bei der Rückwärtsbewegung auf die Schulterblätter verlagert wird. Dadurch werden Verspannungen in den großen Rückenmuskeln gelöst.

5. Legen Sie sich mit leicht geöffneten Beinen auf den Rücken. Die Arme liegen seitlich neben dem Körper und die Handflächen zeigen nach oben. Ihr ganzer Körper sinkt nun in den Boden. Schließen Sie die Augen und konzentrieren Sie sich auf Ihre Atmung.

„Der Wagen des Geistes wird von wilden Pferden gezogen, und es gilt, diese Pferde zu zügeln." Svetasvatara Upanishad

RÜCKSCHAU AUF DEN TAG

Im Laufe des Tages sammeln sich viele kleinere Probleme an, und am Abend sind Sie vielleicht überwältigt von all den Sorgen. Dies kann die Qualität Ihres Schlafs beeinträchtigen oder sogar Schlaflosigkeit verursachen. Ein erholsamer Schlaf ist nur dann möglich, wenn Sie alle negativen Gedanken vertreiben, ehe Sie zu Bett gehen. Stellen Sie sich vor, dass Ihr Kopf ein Waschbecken mit schmutzigem Wasser ist. Am Abend müssen Sie dieses Becken leeren und mit frischem Wasser füllen. Diese mentale Reinigungsübung lässt sich gut bewerkstelligen, indem Sie über den Tag nachdenken und die Sorgen nach und nach loslassen.

REINIGEN DES GEISTES

Setzen Sie sich kurz vor dem Zu-Bett-Gehen an einen ruhigen Ort, wo Sie mit Ihren Gedanken alleine sein können. Stellen Sie sich vor, dass Ihr Tag eine Reise war, die mit dem Erwachen begann. Gehen Sie nun die Ereignisse des Tages durch. Waren Sie beim Erwachen entspannt und erholt oder sind Sie hektisch und besorgt in den Tag gegangen? Wie war die Fahrt zur Arbeit und wie verlief der restliche Tag? Welche Schwierigkeiten mussten Sie bewältigen? Wie fühlen Sie sich jetzt?

Während dieses Prozesses werden Ihre Gedanken wahrscheinlich bei den stressigen Momenten hängen bleiben, Sie werden die Kommentare und Situationen, die Sie belasten, nochmals erleben. Versuchen Sie, an diese Reflexion konstruktiv heranzugehen. Analysieren Sie den Grund für ein Problem, Ihre Reaktion darauf und die Folgen Ihrer Handlungen. Psychologen nennen dies die „ABC-Methode": A steht für „antecedent" (Auslöser), B für „behaviour" (Verhalten) und C für „consequence" (Konsequenz).

Wenn etwa Ihr Zug verspätet ist (Auslöser), streiten Sie vielleicht mit dem Bahnhofspersonal (Verhalten) und kommen bereits so gestresst zur Arbeit, dass Sie sich mit Ihren Kollegen anlegen und sich nur schwer konzentrieren können (Konsequenz). Überlegen Sie sich nun, wie Sie diesen negativen Kreislauf durch ein anderes Verhalten durchbrechen hätten können – etwa indem Sie die Verspätung des Zugs gelassen hingenommen und etwas gelesen oder Notizen für den bevorstehenden Arbeitstag gemacht hätten.

Gehen Sie den gesamten Tag mithilfe dieser ABC-Methode durch. Danach lassen Sie diese unglücklichen Ereignisse bewusst hinter sich. Stellen Sie sich vor, dass all diese Ereignisse wie

Ballons am Himmel entschwinden, sie werden kleiner und kleiner, bis sie schließlich ganz aus Ihrem Blickfeld verschwunden sind. Immer wiederkehrende Sorgen können Sie auch bewältigen, indem Sie diese auf eine Liste schreiben. Wenn zur Lösung eines Problems eine Handlung erforderlich ist, halten Sie diese in einer eigenen Spalte „Zu erledigen" fest. Sagen Sie sich, dass Sie Ihre Gedanken auf Papier gebannt haben und Sie nun alle Ängste und Sorgen des Tages ad acta legen können.

Kehren Sie nun wieder zurück in die Gegenwart und versuchen Sie bewusst, den Moment zu erleben – konzentrieren Sie sich auf die Atmung, blicken Sie zum Fenster hinaus oder spüren Sie den Stoff Ihres Nachthemds auf der Haut.

Beenden Sie die Reflexion mit einem kurzen Gebet. Dabei muss es sich nicht um ein religiöses Gebet handeln, sondern Sie können einfach ein Gefühl, ähnlich den Affirmationen am Morgen, (siehe Seite 14) zum Ausdruck bringen. Ein Gebet für mehr Selbstakzeptanz könnte etwa lauten: „Hilf mir, die unabänderlichen Aspekte meines Wesens zu akzeptieren, damit ich mich ganz auf jene Aspekte konzentrieren kann, die ich beeinflussen kann."

CHAKRA-MEDITATION

Im antiken Indien war man der Meinung, dass der Körper sieben Energiezentren hat, die so genannten *Chakren*. Die Chakra-Meditation sorgt für ein Energiegleichgewicht und bereitet den Körper auf den Schlaf vor. Jedes *Chakra* (indisch: „Rad") befindet sich im Bereich der Wirbelsäule zwischen Becken und Scheitel und wird mit bestimmten Farben, Mantras und unterschiedlichen Formen des mentalen und spirituellen Bewusstseins assoziiert.

CHAKRA-MEDITATION

Nehmen Sie eine Meditationshaltung ein (siehe Seiten 80/81). Konzentrieren Sie sich auf Ihr Wurzel-Chakra (*Muladhara*) im Becken. Stellen Sie sich beim Einatmen vor, dass Sie rote Energie vom Boden aufnehmen und spüren Sie dabei die beruhigende Erdverbundenheit. Beim Ausatmen stellen Sie sich vor, dass das Energiezentrum im Becken aktiviert wird und Energie freisetzt.

„Yoga ist ... ein dauerh

Das Wurzel-Chakra steuert physische Bedürfnisse. Eine Meditation in diesem Bereich löst Muskelverspannungen. Stellen Sie sich beim Einatmen vor, die Energie abwechselnd in die einzelnen Chakren zu leiten (siehe unten) und beobachten Sie die Farbveränderung der Energie. Beim Ausatmen stellen Sie sich vor, dass die Energie immer kräftiger leuchtet.

Visualisieren Sie, dass die Energie vom Wurzel-Chakra zum Sakral-Chakra (*Swadhisthana*) in Ihren Magen gelangt, wobei die Energie jetzt orange leuchtet. Dieses *Chakra* ist das Zentrum der Kreativität und Sexualität, und Meditation für dieses Chakra bremst Egoismus und sinnliche Begierden. Richten Sie die Energie nun auf das Nabel-Chakra (*Manipura*) direkt unter der Brust, das in Gelb schwingt. Dieses *Chakra* steuert Willensstärke und Ehrgeiz, und Meditation für dieses Chakra stärkt Willenskraft und Selbstkontrolle. Lassen Sie die Energie nun zu Ihrem Herz-

Chakra (*Anahata*) fließen, kombiniert mit der Farbe Grün. Dieses *Chakra* ist für die Emotionen verantwortlich. Meditation dafür hilft, negative Gefühle freizusetzen und Liebe und Mitgefühl zu fördern. Nun geht es zum blauen Hals-Chakra (*Vishuddi*), das die Kommunikation steuert; durch Meditation werden Selbstausdruck und Kommunikationsfähigkeiten gefördert.

Leiten Sie die Energie zum Stirn-Chakra (*Ajna*) zwischen den Augen, wo sich die Farbe auf Blau ändert. Meditation für dieses Zentrum der Intuition, Einsicht und psychischen Kraft bringt Selbsterkenntnis, Weisheit und tiefen spirituellen Frieden.

Die Energie im Scheitel-Chakra (*Sahasrara*) schwingt violett und sorgt dafür, dass Sie eins sind mit dem Universum. Stellen Sie sich vor, dass sich diese Energie golden färbt und Ihr ganzes Wesen bestimmt. Alle Chakren sind nun im Einklang und verströmen Energie. Genießen Sie dieses friedliche Gefühl.

after Zustand der Ruhe. " Bhagavadgita

„Die Weisen wissen, dass es kein Ziel gibt. Sie sehen, indem sie nicht schauen, sie handeln, indem sie sind." Tao Te Ching

DAS SCHLAFREFUGIUM

Ihr Schlafraum sollte ein Refugium des Friedens, der Privatsphäre und der Sicherheit sein. Die Prinzipien des Feng Shui können auf den Schlafraum ebenso wie auf den Arbeitsraum (siehe Seite 38) angewendet werden. So sollte auch der Schlafraum kein Durcheinander aufweisen, damit die *Chi*-Energie während des Schlafs frei zirkulieren kann. Doch anders als am Arbeitsplatz sollte die Energie im Schlafraum nicht zu stark sein, da Sie sonst nicht schlafen können. *Chi* fließt zwischen der Tür und dem Fenster, sodass Ihr Bett nicht zwischen diesen beiden Elementen stehen sollte.

Der Platz unter Ihrem Bett sollte frei bleiben, um den Energiefluss nicht zu behindern. Das Bett sollte eine feste Kopfstütze aus Holz aufweisen, die Ihre persönliche Energie schützt und Sie während des Schlafs mit neuen Energien versorgt. Feng Shui-Experten empfehlen zudem, das Bett mit dem Kopfteil zur Wand und mit Blick zur Tür zu stellen, um sich sicherer und entspannter zu fühlen.

Auch Symmetrie spielt im Feng Shui eine große Rolle. Im Idealfall sollte auf beiden Seiten des Bettes Platz sein, und auch identische Nachttische und Nachttischlampen sind empfehlenswert. Spiegel gelten als problematisch, da sie Ihnen während des Schlafs Energie entziehen. Vermeiden Sie Spiegel an Stellen, von denen aus diese Ihr *Chi* auf Sie reflektieren können. Positionieren Sie den Spiegel besser in einer Garderobe oder einer Schrankinnenseite, wo dieser im Normalfall nicht sichtbar ist.

Idealerweise schafft der Schlafraum eine Atmosphäre der Geborgenheit und Sinnlichkeit. Umgeben Sie sich mit natürlichen Materialien wie Leinen, Baumwolle, Seide oder Wolle. Legen Sie auf das Bett gegebenenfalls einen Bettüberwurf aus einem angenehmen Stoff. Die Matratze sollte nicht synthetisch, sondern mit Naturfasern wie etwa Rosshaar oder Kokosfaser gefüllt sein und Ihre Wirbelsäule gut unterstützen.

Schaffen Sie die richtige Stimmung, indem Sie den Raum in Ihren Lieblingsfarben einrichten. Warme Orange- und Terracotta-töne sind entspannend, kräftiges Rot stimuliert die Leidenschaft und Blau wirkt beruhigend. Auch Duftöle können Ihre Stimmung beim Schlafen beeinflussen. Jasmin- und Ylang-Ylang-Öl sorgen für eine verführerische Atmosphäre und Rose, Vanille, Kamille oder Lavendel für Entspannung. Auch frische Schnittblumen oder eine duftende Topfpflanze wie Lavendel verbreiten einen guten Duft.

SCHLAFSTELLUNGEN

Die richtige Haltung ist beim Schlafen ebenso wichtig wie beim Stehen oder Sitzen und für einen erholsamen Schlaf unerlässlich. Schlafgewohnheiten sind tief in uns verwurzelt und nur schwer zu ändern. Wenn Sie sich eine neue Schlafstellung angewöhnen wollen, weil Sie immer steif und verspannt erwachen, korrigieren Sie die Haltung jedes Mal, wenn Sie sich dabei ertappen. Irgendwann werden Sie diese neue Haltung automatisch einnehmen.

Einige Yoga-Lehrer meinen, dass man idealerweise auf der Seite schlafen soll, da dies die tiefe Atmung durch die Nase statt der oberflächlichen Atmung durch den Mund begünstigt. Die Rückenlage kann die Krümmung in der unteren Wirbelsäule verstärken und somit Schmerzen verursachen. Wenn Sie jedoch nur auf dem Rücken schlafen können, legen Sie ein festes Kissen unter die Knie, um die Krümmung im unteren Rücken zu verringern. Viele Menschen verwenden zu viele Kissen. Dadurch liegen Nacken und Wirbelsäule nicht mehr in einer Linie und Verspannungen sind die Folge. Yoga-Experten empfehlen die Verwendung eines festen, etwa schulterbreiten Kissens.

Die folgenden Schlafstellungen leiten sich aus Yoga-Stellungen ab. Die erste Haltung, die Bauchlage, ist für ein kurzes Schläfchen zu empfehlen. Legen Sie sich auf den Bauch, den Kopf zur Seite, die Füße leicht geöffnet und die Arme seitlich neben dem Körper. Sie können die Arme auch über den Kopf legen oder über dem Kopf verschränken. Sie sollten jedoch darauf achten, den Kopf nicht auf die Arme legen, da dies die Blutzirkulation beeinträchtigt.

Die seitliche Entspannungslage (Abb. rechts) und die modifizierte Totenstellung sind für den Schlaf während der Nacht geeignet. Legen Sie sich für die seitliche Entspannungsstellung mit einem Kissen unter dem Kopf auf die Seite, um Kopf und Wirbelsäule in eine Linie zu bringen. Winkeln Sie das obere Knie rechtwinkelig an und legen Sie das Knie vor dem Körper ab. (Bei Schwangerschaft oder Rückenschmerzen legen Sie ein Kissen unter das Knie.) Legen Sie die Oberarme locker auf das Zwerchfell und die Unterarme vor den Körper.

Für die modifizierte Totenstellung legen Sie sich mit leicht geöffneten Füßen auf den Rücken, die Hände mit den Handflächen nach oben vom Körper weggestreckt. Verwenden Sie ein Kissen unter dem Kopf, um Kopf und Wirbelsäule in eine Linie zu bringen, und legen Sie ein zweites Kissen unter die Knie.

„Tiefer Schlaf bedeutet Einssein, ein einziges ruhiges Bewusstsein aus Frieden und dem Genuss dieses Friedens."

Mandukya Upanishad

VISUALISIERUNG ZUM SCHLAF

Auch wenn Sie alles getan haben, um zur Ruhe zu kommen, liegen Sie vielleicht dennoch im Bett und können nicht einschlafen, da Sie quälende Gedanken davon abhalten. Je mehr Sie gegen diesen Gedankenfluss ankämpfen, desto schwerer werden Sie Ruhe finden. Um Ihren wachen Geist zu beruhigen, können Sie es mit Visualisierungstechniken versuchen. Diese Technik wird zwar oft gemeinsam mit Yoga, Massage oder Meditation verwendet, kann aber auch alleine eingesetzt werden. Sie brauchen dazu nichts außer Ihre Fantasie. Denken Sie an einen Ort, den Sie friedlich und beruhigend empfinden. Dieses Bild, etwa ein einsamer Strand oder eine Wiese neben einem Gebirgsbach, vertreibt Ihre Gedanken und fördert mentale Ruhe.

Verleihen Sie Ihrem mentalen Bild so viele Details wie möglich, bis Sie fast meinen, tatsächlich an diesem Ort zu sein. Malen Sie sich etwa die Farbe des Meeres und des Sands aus, das Geräusch der Brandung der Wellen am Strand, das Licht, den Geruch und die Geräusche rund um Sie herum. Wie fühlt sich der Sand zwischen den Zehen an? Was sehen Sie am Horizont? Was auch immer Sie visualisieren, dies ist Ihr ganz eigenes Plätzchen, an das Sie immer wieder zurückkehren können.

WÄHLEN SIE EIN BILD ZUR VISUALISIERUNG

Viele Menschen finden ruhige Bilder aus der Natur wie etwa eine Wald- oder Seenlandschaft oder einen Garten besonders hilfreich. Doch Sie können sich ebenso gut eine Kirche, Ihren Lieblingsraum in einem Haus oder sogar Ihren Lieblingsstuhl ausmalen. Denken Sie an einen Ort aus Ihrer Vergangenheit, den Sie als besonders schön oder friedlich in Erinnerung haben und der Sie an glückliche Zeiten erinnert.

Aber auch andere Bilder können Ihnen zu mentaler Entspannung verhelfen, etwa der Gedanke an eine schlafende Katze oder ein Baby. Beide atmen tief und rhythmisch und genießen den Frieden. Stellen Sie sich vor, ebenso zu schlafen. Denken Sie an eine ruhige Farbe wie etwa Blau oder Grün, die mit jedem Atemzug durch Ihren Körper strömt.

VERBANNEN SIE ALLE NEGATIVEN GEDANKEN

Anstatt negative Gedanken durch positive Bilder zu ersetzen, können Sie sich auch mit den negativen Gedanken befassen und sich vorstellen, wie sich diese auflösen. Dies ist besonders dann ratsam, wenn es Ihnen schwer fällt, an einem positiven Bild festzu-

halten. Stellen Sie sich etwa vor, dass Ihre Gedanken Bläschen in einem Glas sprudelnder Limonade sind. Sehen Sie zu, wie diese vom Boden des Glases aufsteigen, und lassen Sie diese los, sobald sie die Oberfläche erreicht haben. Dabei werden die Bläschen immer weniger, bis die Limonade nicht mehr sprudelt. Ebenso können Sie visualisieren, dass Ihre Gedanken Blätter im Wind sind. Die vielen herumwirbelnden Blättern werden immer weniger, bis sie nur mehr vereinzelt an Ihnen vorbeifliegen. Folgen Sie den Blättern nicht, sondern lassen Sie diese einfach entschwinden.

Wenn Sie mit einem bestimmten Problem zu kämpfen haben, stellen Sie sich eine kleine Schatulle mit einem Schloss vor. Das Problem ist ein kleines Objekt – bei Angst vor einer anstehenden Präsentation z. B. ein Stift. Stellen Sie sich vor, dass Sie diesen Gegenstand in die Schatulle legen, den Deckel schließen und die Schatulle versperren. Dann verstauen Sie diese in einer dunklen Schublade. Sagen Sie sich, dass Sie die Schatulle herausnehmen werden, wenn Sie bereit sind, sich mit dem Problem auseinander zu setzen. Sollten Ihre Gedanken zu dem Problem zurückkehren, holen Sie die Schatulle geistig aus der Schublade, schütteln Sie diese heftig und stellen Sie sie dann wieder zurück.

BIBLIOGRAFIE

FRASER, TARA. *Yoga for You* (Duncan Baird Publishers, London, 2001)

FRAWLEY, DAVID. *Das große Ayurveda-Heilungsbuch: Prinzipien und Praxis* (Droemer Knaur, München, 1999)

FREKE, TIMOTHY (Übersetzer). *Tao Te Ching* (Piatkus, London, 1995)

GEORGE, MIKE. *Der einfache Weg zur heiteren Gelassenheit* (Nymphenburger, München, 2001)

GRIFFITHS, JAY. *Pip Pip, A Sideways Look at Time* (HarperCollins, London, 2000)

HALL, MARI. *Reiki* (Thorsons, London und New York, 2000)

IYENGAR, B K S. *Licht auf Pranayama* (Scherz-Verlag, Bern, 2000)

KORNFIELD, JACK. *After the Ecstasy, the Laundry* (Rider Books, London, 2000)

KRISHNAMURTI. *Think on These Things* (HarperCollins, London, 1997)

LALVANI, VIMLA. *Yoga for Sex* (Hamlyn, London, 1999)

LIVINGSTONE, ALISTAIR. *Yoga for Energy* (Duncan Baird Publishers, London, 2000)

MEHTA, NARENDRA. *Indian Head Massage* (Thorsons, London und New York, 1999)

MEHTA, SILVA, MIRA AND SHYAM. *Yoga – The Iyengar Way* (Dorling Kindersley, London, 1990/Knopf Maryland, 1990)

MASCARO, JUAN (Übersetzer). *The Bhagavad Gita* (Penguin, 1962)

MITCHELL, EMMA. *Energy Exercises* (Duncan Baird Publishers, London, 2000)

NAMIKOSHI, TORU. *Das große Buch des Shiatsu* (Hugendubel, München, 1992)

NHAT HANH, THICH. *Present Moment Wonderful Moment* (Parallax Press, London, 1990)

RINPOCHE, SOGYAL. *Das tibetische Buch vom Leben und vom Sterben* (O. W. Barth Verlag, München, 1997)

ROWLEY, NIC UND HARTVIG, KIRSTEN. *Food* (Time-Life, München, 2001)

SCHIFFMAN, ERICH. *Yoga, the Spirit and Practice of Moving into Stillness* (Pocket Books, New York, 1996)

SMITH, KAREN. *Die Wohlfühl-Massage* (Mosaik, München, 1999)

SEKIDA, KATSUKI. *Zen-Training: Das große Buch über Praxis, Methoden, Hintergründe* (Herder, Freiburg, 2000)

VISHNU-DEVANANDA, SWAMI. *Hatha Yoga Pradipika* (Lotus, New York, 1997)

WATTS, ALAN. *Talking Zen* (Weatherhill, London, New York und Tokyo, 1994)

WOOD, ERNEST. *Seven Schools of Yoga* (Quest Books, Illinois, 1998)

YOUNG, JACQUELINE. *Acupressure for Health* (Thorsons, London and New York, 1994)

REGISTER

DANKSAGUNG

Bildnachweis

Der Verlag möchte den folgenden Personen und Bildarchiven für ihre Erlaubnis zur Veröffentlichung danken. Es wurde alles unternommen, um die Copyright-Eigentümer ausfindig zu machen. Sollten wir jemanden übersehen haben, entschuldigen wir uns dafür. Wir werden uns bemühen, in zukünftigen Auflagen Korrekturen zu berücksichtigen.

1 Photonica/Neo Vision 5 Mainstream/ Ray Main 6 links Narratives/Jan Baldwin/Sophie Eadie 6 Mitte International Interiors/Paul Ryan. (designer: Jacqueline Morabito) 6 rechts Telegraph Colour Library/Justin Pumfrey 7 links Telegraph Colour Library/Ericka McConnell 7 Mitte Stone/Jerome Ferraro 7 rechts Stone/James Darell 9 oben links Matthew Ward/DBP 9 oben rechts Mainstream/Ray Main 9 unten links Mainstream/Ray Main 9 unten rechts Photonica/Kazutomo Kawai 12 Narratives/Jan Baldwin/Sophie Eadie 13 Photonica/Kazutomo Kawai 14-15 Stone/Stephen Frink 16 Photonica/Neo Vision 16-19 Stone/Lorentz Gullachsen 17 Matthew Ward/DBP 20 Matthew Ward/DBP 21 Matthew Ward/DBP 22-23 Stone/Pierre Choiniere 24 IPC Syndication/David Brittain/Ideal Home 25 Matthew Ward/DBP 26-27 Stone/Reza Estakhrian 28 Matthew Ward/DBP 29 International Interiors/Paul Ryan (Designer: Jacqueline Morabito) 31 Matthew Ward/DBP 32 International Interiors/Paul Ryan. (Designer: Jacqueline Morabito) 33 Photonica/Kaoru Mikami 34 Stone/Peter Nicholson 35 Matthew Ward/DBP 37 Stone/Colin Barker 39 Mainstream/Ray Main 40 Stone/Peter Dazeley 42-43 Mainstream/Ray Main (Designer: Mick Allen) 43 links Matthew Ward/DBP 44 Matthew Ward/DBP 45 Matthew Ward/DBP 46 Matthew Ward/DBP 47 Matthew Ward/DBP 49 Hintergrund Matthew Ward/DBP 49 links & rechts Matthew Ward/DBP 51 Matthew Ward/DBP 52 Photonica/Koutaku 53 Matthew Ward/DBP 55 Photonica/Johner 57 Matthew Ward/DBP 58 Matthew Ward/DBP 62-63 Photonica/S S Yamamoto 60 Telegraph Colour Lbrary/Justin Pumfrey 61 Mainstream/Ray Main 65 Corbis/Charles & Josette Lenars 66 Stone/Jim Franco 69 Stone/Elie Bernager 72-73 Matthew Ward/DBP 75 Stone/Victoria Pearson 76 Mainstream/Ray Main 79 IPC Syndication/Peter Cassidy/Essentials 80 Matthew Ward/DBP 81 Matthew Ward/DBP 83 Matthew Ward/DBP 84 Mainstream/Ray Main 86 Matthew Ward/DBP 87 Matthew Ward/DBP 88-89 Stone/Robert Daly 92-93 Matthew Ward/DBP 95 Photonica/Neo Vision 96 Telegraph Colour Library/Ericka McConnell 97 Photonica/Masayoshi Hichiwa 99 Tim Winter 100 Stone/Amy Neunsinger 103 Sian Irvine/DBP 104 Hintergrund Stone/Christel Rosenfeld 106 Photonica/Jane Yeomans 107 Sian Irvine/DBP 108 oben Anthony Blake Photo Library/Tim Hill 108 unten Stone/Chris Everard 110 William Lingwood/DBP 112 Matthew Ward/DBP 113 Photonica/Masayoshi Hichiwa 115 Sian Irvine/DBP 117 William Lingwood/DBP 118-119 William Lingwood/DBP 120 Stone/Victoria Pearson 123 unten Image Bank/Antonio Rosario 123 oben IPC Syndication/Victoria Gomez 124 Stone/Jerome Ferraro 125 Mainstream/Ray Main 127 Mainstream/Ray Main 128 Photonica/Taniguchi 129 Matthew Ward/DBP 131 Matthew Ward/DBP 132 Stone/Stuart McClymont 134-135 Narratives/Polly Wreford 137 Matthew Ward/DBP 138 Matthew Ward/DBP 142 Stone/James Darell 143 International Interiors/Paul Ryan (Designer: Jacqueline Morabito) 144 Stone/Simon Battensby 145 Mainstream/Ray Main 146 Camera Press/Shaz 147 Matthew Ward/DBP 156-157 Matthew Ward/DBP 149 Photonica/Magnus Rietz 151 Corbis/Richard Cummins 152 Image Bank/M Tcherevkoff 154 International Interiors/Paul Ryan (Designer: Jacqueline Morabito) 158-159 Stone/Pete Seaward

Danksagungen des Verlages:

Design-Assistenz: Suzanne Tuhrim
Haare und Make-up: Dawn Lane
Models: Estelle Jaumotte und Jason Bailey (MOT)